DU MÊME AUTEUR

Aux Éditions Gallimard

LA LÉZARDE, *prix Théophraste Renaudot 1958.*

LE QUATRIÈME SIÈCLE, *prix Charles Veillon 1965.*

MALEMORT.

MAHAGONY.

TOUT-MONDE *(Folio n° 2744).*

SOLEIL DE LA CONSCIENCE (Poétique I).

L'INTENTION POÉTIQUE (Poétique II).

POÉTIQUE DE LA RELATION (Poétique III), *prix Roger Caillois 1991.*

TRAITÉ DU TOUT-MONDE (Poétique IV).

INTRODUCTION À UNE POÉTIQUE DU DIVERS.

POÈMES COMPLETS : Le sang rivé – Un champ d'îles – La terre inquiète – Les Indes – Le sel noir – Boises – Pays rêvé, pays réel – Fastes – Les grands chaos.

LA CASE DU COMMANDEUR, roman.

Théâtre

MONSIEUR TOUSSAINT.

Dans la collection Poésie/Gallimard

LE SEL NOIR – BOISES – LE SANG RIVÉ.

Essais

LE DISCOURS ANTILLAIS *(Folio-Essais).*

Aux Éditions Acoma

BOISES.

Aux Éditions du Dragon

UN CHAMP D'ÎLES.

LA TERRE INQUIÈTE.

Suite de la bibliographie en fin de volume.

MONSIEUR TOUSSAINT

ÉDOUARD GLISSANT

MONSIEUR TOUSSAINT

VERSION SCÉNIQUE

GALLIMARD

PRÉFACE
DE LA PREMIÈRE ÉDITION

Dans Les Jacobins noirs, *C.L.R.* James soutient que Toussaint-Louverture, premier artisan de l'émancipation de Saint-
Domingue, ne garda pas le contact avec la révolution populaire ;
qu'il se vit ainsi, à partir d'un apogée de puissance, abandonné
de ceux qu'il avait libérés de la servitude. Aimé Césaire (dans son
Toussaint-Louverture) consent à la thèse de James et la
complète : supputant que Toussaint, en effet conscient d'être
dépassé par la situation, incapable de faire le saut radical de
l'indépendance, convaincu peut-être que sa présence rendait
impossible la réconciliation entre les Nègres et les Mulâtres, et,
aussi, incliné à une conception tragique de son destin révolution-
naire, délibérément ou non se sacrifie à la cause commune et
trouve dans un tel sacrifice l'achèvement politique de son action.*

*Ces vues d'ensemble me furent profitables. Et il est vrai que les
œuvres citées, avec la biographie la plus animée qui soit, celle de
Victor Schœlcher, rassemblent l'essentiel de ce qu'il faut savoir
sur ce héros.*

*L'ouvrage que voici n'est pourtant pas tout droit d'inspiration
politique ; il se réfère plutôt à ce que j'appellerai, par paradoxe,
une* vision prophétique du passé. *Pour ceux qui ne connaissent
de leur histoire que la part de nuit ou de démission à quoi on a
voulu les réduire, l'élucidation du passé proche ou lointain est une
nécessité. Renouer avec son histoire obscurcie ou oblitérée,*

9

l'éprouver dans son épaisseur, c'est se vouer mieux encore aux saveurs du présent ; lesquelles, dépouillées de cet enracinement dans le temps, ramènent à une vaine délectation. C'est là une ambition poétique.

Une telle démarche apparaît certes incompréhensible, voire inutile sinon nuisible, à tel qui, loin de souffrir une carence d'histoire, au contraire peut penser qu'il subit le poids tyrannique de la sienne. Se débattre de (et dans) l'histoire est notre lot commun. Sur des bords opposés, les œuvres tentent de réduire une même insécurité de l'être. Monsieur Toussaint est un essai après d'autres, dans le cours de cette intention.

La simultanéité des deux « temps » vécus par Toussaint, celui de l'espace insulaire et celui de la prison, ne découle pas d'une argutie technique. L'équivalence est essentielle, de ce qu'il a ou n'a pas accompli et de ce qu'il attend – ou n'attend plus. La prison qui marque la fin de son histoire et la mort qui met un terme à la prison résument un seul acte, vers quoi le pousse la logique de sa vie.

Il ne sera pas inutile d'indiquer que les rapports entre Toussaint et ses compagnons défunts relèvent d'une fréquentation non solennelle, peut-être antillaise avant tout, de la mort.

1961

AVERTISSEMENT

À l'époque où parut Monsieur Toussaint *(en 1961), ce qu'on appellerait aujourd'hui le théâtre antillais n'existait en aucune façon.* Et en particulier les expériences de théâtre populaire qui introduisent désormais à une vision critique de la réalité antillaise et à une mise en œuvre de la langue créole. L'émergence des pays de la Caraïbe et l'accélération de la visée historique ont permis d'inscrire dans la pratique ce qui n'était alors qu'une aspiration indistincte et peu sûre d'elle-même.*

Monsieur Toussaint *ne pouvait pas même présager une telle perspective. Œuvre de « récapitulation », qui en outre n'était pas taillée selon l'économie de la représentation théâtrale mais se proposait (du moins dans cette version première) de totaliser un donné historique, la pièce n'engageait pas à une problématique de l'expression populaire ; d'autant qu'elle tâchait de recomposer, à peu près au niveau de chaque personnage, la rhétorique des révolutionnaires de 1789, qui influa tant sur le langage des leaders de la Révolution haïtienne.*

Au moment de publier cette « version pour la scène », les conditions de la pratique actuelle du théâtre aux Antilles imposent ce qui ne peut être considéré comme une « mise au jour », mais comme un des détours complémentaires par quoi s'actualise de plus en plus la « vérité » de nos situations. Dès lors, se pose la question du langage des acteurs proprement haïtiens du drame. Il

peut par exemple sembler étrange qu'un personnage comme Mackandal, Nègre marron du siècle précédent, et qui apparaît à
Toussaint comme une sorte de première conscience, s'adresse à
celui-ci en français, non en créole.

J'ai tâché pourtant de résister à un mécanisme simple de
« créolisation » dont l'artifice eût été bien évident. La mise en
scène de cette histoire peut décider de son environnement linguis-
tique ; et la langue créole est suffisamment disponible dans sa non-
fixation écrite pour que metteur en scène et acteurs rejoignent ici et
complètent par l'improvisation les intentions de l'auteur. Il n'est
d'ailleurs pas dit que les quelques textes créoles qui apparaissent
dans cette version (incantations et mélopées, tentatives non cohé-
rentes du point de vue syntaxique, mélange de sonorités guadelou-
péennes, haïtiennes et martiniquaises) ne signalent pas avant
tout le plaisir débridé d'écrire enfin une langue comme on
l'entend.

1978

La première version de Monsieur Toussaint a été mise en
ondes sur les antennes de France-Culture en 1971, avec, entre
autres interprètes, Douta Seck et Toto Bissainthe.

Une version pour la scène a été représentée pour la première fois
au théâtre international de la Cité universitaire, le 21 octobre
1977 par la troupe du Théâtre noir, avec, dans les principaux
rôles, Georges Hillarion et Darling Légitimus. La mise en scène
était de Benjamin Jules-Rosette.

Elle a été reprise, avec une nouvelle distribution, sous la même
direction, de novembre 1985 à janvier 1986.

PERSONNAGES

TOUSSAINT-LOUVERTURE, héros de la Révolution de Saint-Domingue.

LES MORTS

MAMAN DIO, prêtresse vaudou.
MACKANDAL, Nègre marron.
MACAÏA, chef révolté.
DELGRÈS, commandant à la Guadeloupe.
MOYSE, lieutenant de Toussaint, fusillé par celui-ci.
BAYON-LIBERTAT, géreur.

LES VIVANTS
dans la prison

MANUEL, geôlier.
AMYOT, commandant au fort de Joux.
LANGLES, son second.
CAFFARELLI, envoyé de Bonaparte.

dans l'île

SUZANNE-SIMONE TOUSSAINT, femme de Toussaint.
DESSALINES, lieutenant de Toussaint et libérateur de Haïti.
CHRISTOPHE, lieutenant de Toussaint.
GRANVILLE, secrétaire de Toussaint.
LAVEAUX, gouverneur de Saint-Domingue.
AIDE DE CAMP.
RIGAUD, commandant la Province du Sud.

DÉSORTILS, colon.
BLÉNIL, colon.
PASCAL, colon.
ROCHAMBEAU et son état-major.
OFFICIERS — SOLDATS — VALETS.
CHANTEURS ET DANSEURS.
FOULE — TAM-TAM.

La scène se passe à Saint-Domingue en même temps que dans une cellule du fort de Joux où Toussaint est prisonnier : uniforme de général de la République, un foulard noué autour de la tête, son chapeau à plumet posé sur les genoux.

Autour de lui, apparaîtront : Maman Dio, longue robe grise et foulard ; Mackandal, pantalon de sac, chemise en pièces, une manche attachée sur la taille, car Mackandal est manchot ; Macaïa, même vêtement, un coutelas sans gaine passé à la ceinture ; Bayon-Libertat, bottes et large chapeau de paille ; Moyse, général, un bandeau sur l'œil ; Delgrès enfin, en uniforme de commandant. Ce sont les morts, qui fréquentent le seul Toussaint, et invisibles pour les autres personnages.

Chaque fois que l'action est située à Saint-Domingue et qu'elle requiert la présence de Toussaint, celui-ci vient dans l'espace au-devant de la cellule. Mais on comprend qu'il n'échappe jamais à cette prison finale, même alors qu'il accomplit son triomphant passé. Il n'y a pas de frontière définie entre l'univers de la prison et les terres de l'île antillaise.

LES DIEUX

La cellule de Toussaint. À droite, la porte avec un judas. Au fond, une lucarne haut placée d'où tombe la demi-lumière froide d'un hiver du Jura. À gauche, le lit de camp du prisonnier. Près de la porte, une cheminée. Devant celle-ci, le haut fauteuil de Toussaint. Une petite table avec un plateau de nourriture. Un autre fauteuil est loin en avant à droite, portant un sabre accroché à un montant. Au-dessus de la cellule on aperçoit un pan de rempart avec une tour de guet. Toussaint est assis dans son fauteuil. Manuel, la tête appuyée contre le lit, porte un costume hybride de paysan et de soldat ; il est en sabots. Le capitaine Langles entre dans un grand bruit de porte déverrouillée.

I

LANGLES

Cuit-il à point, le vieux bonze ?

MANUEL

Sa peau craquelée, labourée de pus, il embaume le fumier de septembre. Ah ! C'est un fameux général ! Tout assis dans son fauteuil, à passer la revue des troupes. Un février pas chaud. N'est-ce pas, Domingue ?

LANGLES

Nivôse est toujours nivôse, dans le Jura ! C'est ainsi jusqu'au débouché du printemps. Il n'est que d'attendre.

MANUEL

Mais parfois, c'est encore l'hiver, dans le printemps.

LANGLES

Que veux-tu, général, le bois est rare.

MANUEL

Et pourquoi ne veux-tu pas mourir, mon colonel ?

LANGLES

Pas avant d'être reçu à Paris ! Le Premier Consul lui donne l'accolade, on lui rend les honneurs des troupes. Vive Toussaint-Louverture, le premier des moricauds !

MANUEL

Et tu te souviendras de ce bon Manuel qui t'a bordé dans ton fauteuil comme une mère !

LANGLES

Moi, capitaine Langles, décoré sur le champ de bataille. Être réduit à conter fleurette à un vague gibbon. Je les retiens, ces philosophes de la nature !

MANUEL

Comment dites-vous, mon capitaine ?

LANGLES

Tu ne peux pas comprendre.

MANUEL

Parce que je suis un gueux, moi. Je ne souffre pas, je nage ici dans la glace, tant que me voici un de ces gros poissons qui soufflent de l'eau.

LANGLES

Des baleines.

MANUEL

Des baleines. Et je ne suis pas un savant. Je n'ai été blessé que quatre fois. Pas décoré, bien entendu. Seulement une retraite dans un bon petit tombeau de montagne, à surveiller un général noiraud, pas bavard je ne vous dis que ça !

LANGLES

Allons, viens te réchauffer, nous avons du rhum. À défaut du nôtre, buvons son soleil ! Il faut se tenir, du plus grand au plus humble.

MANUEL

Du rhum dans le Jura ! C'en est de Saint-Domingue, j'espère, mon capitaine !

LANGLES

Au revoir, le général. Je rapporterai là-haut que tout va pour le meilleur des froids imaginables.

MANUEL

Mais aussi pourquoi ne pas mourir, tout à trac ?

Ils sortent. Douce mélopée, tam-tam. La cellule s'éclaire.
Maman Dio, Macaïa, Mackandal, Delgrès et Bayon-Libertat apparaissent autour de Toussaint. On aperçoit Moyse en retrait.

21

II

MAMAN DIO

Nous t'avons crié : « Toussaint, méfie-toi, c'est le vent d'ouest sur les fromagers ! Quand les épées t'encercleront, dans la maison de la trahison, ah ! il sera trop tard !

Ne prends pas le Chemin des Acacias, passé la Plantation du Morne à Cahots.

La sentinelle qui te rendra les armes se trouve déjà dans le secret, ce soldat se rit du général.

Tu n'es pour lui qu'un pantin décoré d'épaulettes, qu'il lui est bon de saluer.

Il rêve qu'il tient au bout du fusil une bête, c'est toi,
La brute qu'on n'a pas fait boire au matin
Et qu'au poteau on traîne par les pieds. »

MACKANDAL

Nous halons les mers, d'Afrique en Amérique. Nous le portons avec nous.

Comme une femme en couches qui pourtant bêche au soleil,
Elle tient la main sur son ventre et elle plante un bon coup dans la terre,
Et son enfant lui monte dans la tête, elle ne voit plus l'horizon, elle chavire !

MAMAN DIO

Oh ! Elle chavire dans la mer, et sa bêche est plantée dans les profondeurs !

MACKANDAL

Tu n'étais pas né, il y avait ta douceur dans notre épaule, à l'endroit où la houe trace une marque.

Je levais ta tête, tout en sang et en sueur, je criais : « Ho ! L'esclave, là

Qui passe, ce vieux, oui, là, c'est François-Dominique Toussaint, marqué sur l'Habitation Bréda.

Il n'a pas accompli son existence ni gagné à un contre dix.

Mais il rame, le vieux Toussaint ! Son habit noir, c'est la nuit pour nous rassembler.

Son sourire, c'est le soleil pour crier : " Debout ! " Sa main profite comme la lune sur la crête ! »

Et les sarcleurs hélaient : « Mackandal voit dans le passé ! »

Car ces esclaves ne pouvaient penser à l'avenir.

MAMAN DIO

Prends garde. Nous t'avons crié : « Prends garde ! » Nous nous tenons

Droits ! Notre chemin flambe sur les mornes. Là, tu fus nommé notre père et notre soldat.

Sur les mornes voit-on la route qui rampe, où tu as mis les pieds, les mains, le ventre ?

Oh ! As-tu oublié ton peuple sur la montagne, près du Bois-Caïman,

Qui regardait par en bas la nuit labourée de boucans ?

> *Début de tam-tam. Toussaint pose son chapeau sur la table. Madame Toussaint vêtue comme Maman Dio entre. Elle est inquiète, agitée.*

TOUSSAINT

J'ai aperçu les boucans sur les mornes. Ma femme, il faut que je monte sur les mornes pour la liberté générale.

MADAME TOUSSAINT

Papa Toussaint ! Mes enfants ! Papa Toussaint est tombé fou. Tu es trop vieux, ah ! pense.

TOUSSAINT

Allons, c'est dit et décidé.

MADAME TOUSSAINT

Tu ne sauras rien faire, Seigneur !

TOUSSAINT

Vérité de vérité, j'étais un bon esclave. Celui qui ne sait rien. Il n'apprend pas.

MADAME TOUSSAINT

Et Monsieur Bayon-Libertat ! Qui était si bon pour nous. Il va dire : « Toussaint tu es ingrat, ingrat dénaturé ! »

TOUSSAINT

Je suis ingrat, ingrat dénaturé.

MADAME TOUSSAINT

J'ai vu un Nègre prisonnier. Ils lui ont mis de la poudre au derrière, pardonne-moi, et ils ont allumé.

TOUSSAINT

Femme, il faut que je monte dans les bois pour la liberté générale.

MADAME TOUSSAINT

Toute ta vie, mon mari. Dans la case et sur la pièce de terre. Vois, nos enfants seront libres, nous pourrons les racheter.

TOUSSAINT

Ah ! Je te dis. Il faut que je monte sur les mornes pour la liberté générale. Nos frères sont dans les bois. Et moi j'irais dans les champs, tout seul courbé sur la terre en cendres, pour une récolte que je ne pourrais pas tailler ? Veille à préserver nos enfants, tu en rendras le compte devant Dieu.

MADAME TOUSSAINT

Une malheureuse Nègresse. Est-ce que seulement le Bon Dieu me voit ?

TOUSSAINT

Il regarde la couleur, mais la couleur n'est pas dans son œil. Prenez courage, ma femme. Il faut que je monte à cheval et que je parcoure tout ce pays sans broncher.

Elle sort.

TOUSSAINT, *tourné vers les six statues.*

C'est ainsi. Connus, inconnus, ouvrez vos yeux pour le sang, les massacres et la folie.

MAMAN DIO

Toussaint.

TOUSSAINT

Maman Dio.

MACKANDAL

Regarde. La mer autour est remplie de ton nom et de ton éclat.

MAMAN DIO

Nous empêcheras-tu de marcher dans la mer, jusqu'au pays ?

25

Je fis de toi mon cocher, Toussaint Abréda. Je t'ai protégé, je t'ai instruit.

TOUSSAINT

Mon peuple voulait un cocher, pour son attelage de misères. J'ai conduit du mieux que j'ai pu, il n'y avait pas d'autre moyen. Pendant trois mois j'essayais de ne pas voir les corps, de ne pas entendre les cris ! Trois mois dans les champs en feu, je me suis souvenu de vous.

MACKANDAL

Et c'est long trois mois, pour ceux qui meurent chaque jour.

TOUSSAINT

Et comme elle est longue la mort, ho ! vous autres ? Comme elle est longue à descendre quand il y manque une seule présence ! Alors vous revenez pour celui qui vous ouvrait la route.

> *Éclats de voix au-dehors. Manuel entre, à peu près ivre.*

MANUEL

Ohoho ! Du vrai de Saint-Domingue ! C'est par chez toi, caporal-sergent. Peut-être que tu l'as récolté ! Est-ce qu'on récolte le rhum tout fait, sur pied ? Ça roule dans une montagne, comme la neige qui fond ? Drôle de neige. Hé, Bouche-trapue ! Il faut te dire que le capitaine reçoit bien. « Manuel, qu'il me crie, vide ce bol, c'est un de plus que le moricaud n'aura pas ! » Il est seigneur, le capitaine. Si ce n'était pas qu'il pleure dans son tafia, comme une baleine. Une baleine, une baleine... Prête-moi attention, monsieur Toussaint... Monsieur Toussaint, ah, ah !... Pourquoi ne veux-tu pas mourir ? S'évanouir, partir, monter, descendre, n'être plus là... À ta place je m'éteindrais, vive le rhum ! Le soulagement pour le pauvre monde... Avoue, pour toi seul, une prison entière, officiers, soldats, gardiens de cellule, c'est le Jura tout à l'envers ! Le monde est à l'envers, monsieur Toussaint. Tiens, est-ce que je n'accepte pas de dormir, après trois bols pleins ?... Je m'étends, je croise les pieds, je croise les mains, je croise les yeux, je dors... Je dors... Dormez, dormez, baleine, baleine...

> *Allongé, il tient les clés de la cellule sur sa poitrine.*
> *Ricanement de Macaïa.*

MACAÏA

Prends les clés. Prends-les ! Toi qui ouvres les routes. Mais tu n'as jamais fait qu'un traître avec tes sermons. Il n'a jamais fait qu'un traître, je le dis ! Cocher de la Grande Case, tu le vois, il somnolait dans l'ombre des vérandas. Ainsi, depuis le premier jour, il roucoule après sa prison. Elle l'attendait ! Maintenant nous sommes son armée, il commande au royaume des morts.

MACKANDAL

Mackandal se lève.

MACAÏA, *il rit.*

Toi, manchot ? Quand le vent crie : « Macaïa ! » dans les hauteurs des Gonaïves, les Blancs tremblent ! Ni général ni gouverneur. La Liberté !

MACKANDAL

Je me lève pour celui-ci.

TOUSSAINT

Il y a donc un homme de mon pays qui s'est battu et qui est mort et que je ne connais pas.

MACKANDAL

Tu n'étais pas né, Mackandal faisait crier les colons, géreurs et commandeurs. Ils n'osaient plus boire l'eau de leurs sources. Ils n'osaient plus boire le vin frais débarqué de Bordeaux.

LIBERTAT

Le sorcier empoisonneur. Mackandal.

MACKANDAL

Une fois ils m'ont surpris. J'avais dansé dans la nuit avec ceux de l'Habitation : mais le jour m'avait rattrapé, sa danse cadençait plus vite que la mienne. J'ai voulu courir, je suis tombé sur la pierre du moulin, mon bras tordu dans la presse, comme pour faire du gros sirop. Et pendant que j'étais cloué là par ma charpie de bras, ils ont affûté devant moi le coutelas pour sectionner. J'entends le bruit du coutelas sur la meule et sur mon bras. Je lève la voix pour celui-ci.

LIBERTAT

Mackandal sorcier. Ah ! Plutôt le voleur qui sabre et qui pille !

MACKANDAL

Vous le géreur, tais-toi, hein ? On peut peser l'homme qui possède des terres, il veut tuer pour prospérer, il dit : « Les Nègres sont des bêtes, tant vaut les faire produire ! » Mais un géreur, pas plus que toi ni moi, qui s'est taillé un empire dans un carré de cannes, avec la pierre du moulin pour capitale ! Son pouvoir, c'est le mousquet, sa justice, c'est le fouet. J'en ai tué, des géreurs saouls qui revenaient de lapider une Nègresse ou de couper la jambe à un marron.

TOUSSAINT

Ne parlez pas ainsi, je vous le dis, cet homme est bon et juste.

MACKANDAL

Tu dis qu'il est bon et juste. Mais il se souvient de moi, pourtant n'ai-je pas vécu bien avant vous tous ? Il y a dans sa mémoire la flamme des révoltés ; il reconnaît la voix des suppliciés, dont le nom est parti de vous. C'est la trace entre les cannes, qui est tracée pour toujours. J'étais seul alors, je criais : « Les Africains ne se lasseront-ils pas un jour ? » Et je pleurais, assis dans les campêches. Les herbes des bois étaient mon armée. Ah ! tu détournes la tête. Voilà, mon père, as-tu écouté ? « Plutôt le voleur qui sabre et qui pille. » Le voleur, c'est toi Toussaint ! Tu lui voles ta liberté.

TOUSSAINT

J'ai reconnu les signaux sur les mornes. Deux boucans au soleil couchant, trois au nord, un grand silence par le sud. Je suis parti au levant. C'est ainsi que ma journée a commencé. Je suis parti allumer des feux du côté des Espagnols.

Tambours, mélopées. Trois colons sont entrés à droite. Les deux premiers sont vêtus comme Bayon-Libertat, les étoffes étant plus riches mais le costume sale et déchiré. Ils portent des pistolets. Le troisième, Désortils, est habillé comme un gentilhomme, l'épée au côté.

III

MAMAN DIO

Agoué Agoué ho Toussin papa
Pay nou fenn'an dé kon an zaboca

Fransé ripayé Sin Doming an-moué
Espaniol rélé Santo Domingo
Sin épi Santo sé min-m lamento
Sé an minm calbass asou dlo lan mê
Yo soucoué calbass an trop' ouélélé
Nou viré lévé
Mé an fon grin' lan i rété Toussin
An grin' zaboca sé pa grin' risin
Bon dié Ton-nè séparé grinn' lan
Mé pa ni nom'm ki bon dié Ton-nè.

(Ô Toussaint, ô Toussaint papa. Agoué ho Agoué.
La terre là est coupée en deux comme un avocat
Les Français qui mangent dans Saint-Domingue
Pour les Espagnols, c'est Santo Domingo
Saint et Santo c'est le même, oui ho
C'est la même calebasse sur la mer
Et voici, nous nous sommes réveillés dedans !
Le noyau c'est toi ô Toussaint papa
On peut séparer l'avocat en deux,
Mais le noyau, qui peut le couper ?
Bon dieu Tonnerre peut le couper, Toussaint
Mais un homme ne le peut pas...)

BLÉNIL

Ils ne s'arrêteront jamais.

PASCAL

Sa Majesté Très Catholique concède à ce Nègre la qualité
de général. On en veut faire un Grand d'Espagne !

DÉSORTILS

Voyez, messieurs, l'Espagne ne vaut pas mieux pour
nous.

PASCAL, *parodique.*

« Les hommes naissent et demeurent libres et égaux en droits. »

BLÉNIL

Les hommes, Désortils, les hommes.

PASCAL

Plutôt l'Espagne que la République !

BLÉNIL

Ces gens de France ne comprendront jamais. Nous leur consentons la fortune, avec notre sucre ils bâtissent leurs maisons, nous n'accepterons pas d'eux l'orgueil et la prétention.

PASCAL

Voici que les Mulâtres réclament des droits politiques. C'est insensé.

DÉSORTILS

Messieurs, messieurs ! Je vous garantis que l'Assemblée constituante reconnaîtra la propriété, protégera vos biens.

BLÉNIL

Consentez des droits aux Mulâtres, les esclaves seront indomptables.

PASCAL

Tiercerons, Nègres, Marabouts, Mamelouques, Griffons, Quarterons, Sacatras, Mulâtres ! Nous n'en finirons jamais d'accorder des franchises. Ils ont brûlé nos maisons, violé nos femmes, tué les géreurs et jusqu'aux chiens.

31

DÉSORTILS

Jacqueries sans lendemain, nous pendrons les coupables.
Quant aux chiens, avouez qu'il y avait matière.

BLÉNIL

Nous ne fêterons pas votre Quatorze-Juillet.

PASCAL

Jolie manière de « constituer » que d'installer son salon
dans la rue !

BLÉNIL, *il rit.*

Au Cap, nous en avons égorgé vingt fois vingt dans une
seule soirée. À l'arme blanche ; il fallait économiser la
poudre. La ville en était rouge et moi j'en ai porté l'odeur
pendant trois jours. Ils ne respectent que la corde et le cou-
teau.

PASCAL

Oui. L'indépendance pour les colons. Vive le roi
d'Espagne !

DÉSORTILS

Oubliez-vous Toussaint ? Médecin des armées du Roi,
aujourd'hui plus galonné qu'un maréchal de Cour. De l'or,
des titres, des cordons.

BLÉNIL

Nous interviendrons près du marquis de Hermona. Les
cordons pourraient être de fer, avec un boulet en guise de
plaque.

PASCAL

Tuez-les, monsieur le Représentant des Constituants.
Nous le ferons si vous n'y consentez. Votre prise de la Bas-

tille nous a menés là. Monsieur, c'est la guerre contre la Gironde... Adieu.

Ils sortent.

VOIX DE TOUSSAINT

Frères et amis. Je suis Toussaint-Louverture, mon nom s'est peut-être fait connaître jusqu'à vous. J'ai entrepris la vengeance. Je veux que la liberté et l'égalité règnent à Saint-Domingue. Je travaille à les faire exister ! Unissez-vous à nous, frères, et combattez pour la même cause !...

Clameurs de combats ; elles atteignent une grande violence avant de s'éteindre.

TOUSSAINT

Pourquoi prendrais-je les clés ?

MACKANDAL

Sa liberté est accrochée à ce trousseau ; c'est qu'il achève sa part, qui fut la plus dure.

MACAÏA

Le plus dur, ho ! C'est refuser le pain de trahison, quand nous tombons dans la forêt sans pain !

TOUSSAINT

Dormir, laissez-moi dormir comme cet homme couché dans son rhum.

LIBERTAT

Non... Car j'interroge à mon tour. Pourquoi changer ce qui existe ?

Lueurs d'incendie, fusillades, tam-tam.

Regagnez les Habitations. Toussaint est un imposteur, il vous conduit à la ruine. Votre révolte est sans objet. Vous ne pouvez changer ce qui existe. Les rebelles seront pendus. Les récidivistes seront brûlés. Regagnez les plantations. Toussaint est un imposteur...

MAMAN DIO

Bon dié boi bon dié gadé gadé-nou
Nom'm blan fè lécriti an lè papié blan
Milatt' douboutt' ka pilé-nou kon blan pa té fè
Mé yo penn' milatt
Ac chivé-yo di fè pétayé
Pou brilé kô neg épi zanfan neg.

(Ô bon dieu la Forêt, regarde
Les Blancs ont signé les papiers qui parlent
Le Mulâtre est debout, il nous écrase pire qu'un Blanc
Mais ils ont pendu les Mulâtres !
Avec leurs corps ils font des bûchers,
Des bûchers pour nous et nos descendants !)

MACAÏA

Toussaint est un imposteur ! C'est vrai. Il vous conduit à la ruine ! Regagnez les bois. Quittez la plaine et la côte. Brûlez les champs et les cases...

MAMAN DIO

Troi balambala croisé chimin-an. Yonn an long', dé an travè. Troi coq san tet' douboutt'. Legba ho Legba tiébé feuill' a sa. Toutt' solda pou rété douboutt ! Chanté, dansé pou Legba. Troi balambala croisé chimin-an. Yonn an long', dé an travè.

(J'ai mis les trois feuilles de balambala sur la route. Une en long, deux en travers. J'ai accroché trois coqs sans tête. Ô Legba, viens sur la feuille. Les soldats ne passeront pas. Vous pouvez chanter. Dansez pour Legba ! Les soldats seront arrêtés. J'ai mis les trois feuilles sur la route. Une en long, deux en travers.)

VOIX, qui s'éloigne.

Regagnez les Habitations. Vous ne changerez pas ce qui existe. Toussaint vous conduit à la ruine...

MAMAN DIO

Bon dié difé ho bon dié difé
Ou vinn' brilé pou fè libèté
Nou tayé boi asou dé rin nou
Yonn' pou libèté
Yonn' pou toutt' papié ki pa nonmin nou
Bon dié soleil vini cléré nou
Man monté an tou can-non sa
Man raché boyo-ï
Mi moin, gadé moin, can-non pa tchoué moin
Sa ki tonbé ka tounin Guinin
Vinn' maché pou la libèté.

(L'incendie ô bon Dieu l'Incendie
Tu brûles dans nos cœurs avec la liberté,
Nous avons taillé dans nos poitrines
Une forêt pour la liberté !
Les papiers ne parlent pas pour nous,
Ô bon dieu Soleil, regarde pour nous.
Je suis montée dans la bouche du canon
Regarde, le canon ne m'a pas tuée.
Ceux qui tombent vont en Guinée !
Il faut marcher pour la liberté.)

Des combattants noirs entrent à gauche, on entend la fusillade. Toussaint vient parmi eux. Il semble désormais que les morts le suivent partout. Les marrons : des Macaïa.

SOLDAT

Fok nou rélé oui oui pou an nonm blan, pass ou baill' galon ?

(Alors il faut crier oui oui à cet homme blanc que tu nous amènes ?)

TOUSSAINT

Pour la dernière fois je le répète. Cet homme vous apprend courir au long des bois, dans les fossés à distance, au lieu de monter à l'assaut en masse comme des moutons. Celui qui n'obéit obéit à cet homme.

SOLDAT

D'accord, chef.

TOUSSAINT

Je vous le dis, je vous donne une armée. Ne pillez pas, fusillez les voleurs, battons-nous avec la méthode. Il n'y a pas Legba, il n'y a pas Ogoun. Il y a la science et la connaissance. Quand nous marcherons, même la poussière sera disciplinée. Si vous gagnez dans le désordre et la folie, vous êtes encore tes esclaves.

PREMIER SOLDAT

Sa ki tonbé ka viré Guinin pou bo fanmill' yo.

(Ceux qui tombent vont en Guinée pour rejoindre nos frères.)

TOUSSAINT

Ceux qui tombent mangent la terre, ils crient pour nous.

Toussaint enlève ses épaulettes, qu'il donne à deux soldats.

TOUSSAINT

Tenez, vous serez responsables.

SOLDAT

Montré nou chimin-an, pou nou brilé toutt' chimin.

(Tu es notre chef. Je veux combattre avec toi.)

TOUSSAINT

Car je vous le dis, vous reprendrez la terre, vous coucherez dans la maison !

Ils sortent. La lumière se déplace avec le bruit, par vagues, vers la droite : quartier général de Laveaux, commandant l'armée française. Uniformes usés de soldats en campagne.

AIDE DE CAMP

Mon général ! Toussaint-Louverture a enlevé le camp des Verrettes. Il est blessé. Nous perdons la côte nord-ouest.

LAVEAUX

Qu'on fortifie le Morne-au-Diable. Que le chef de bataillon Jouffroy s'y porte. Annoncez que moi, Laveaux, je garantis l'abolition de l'esclavage.

UN OFFICIER, *il entre.*

L'Artibonite est tombée. Toussaint en personne a conduit l'attaque. Nous perdons nos positions à l'ouest. Le général Vialle attend vos ordres. Le Nègre Toussaint se dirige vers le Port-au-Prince.

LAVEAUX

Cet homme est un démon.

UN OFFICIER, *il entre.*

Du commandant Josse au général Laveaux. Le commandant ne peut plus tenir la Grande-Rivière. Il demande des renforts et des munitions. À vos ordres.

LAVEAUX

Messieurs, Saint-Domingue est perdue si le général Toussaint ne se rallie pas.

AIDE DE CAMP

Le général Toussaint ?

LAVEAUX

Vous vous habituerez, capitaine. Ce soldat n'est pas un chef de bande.

Ils sortent. Les clameurs redoublent. Toussaint, qui était dans l'ombre, monte vers le fond.

TOUSSAINT

Je suis monté sur les mornes, je combattais pour mon peuple ! On avait dit : un ramassis de sauvages. Ils ne savent pas tenir un fusil ! Vous déracinez les arrête-bœufs, vous emmanchez les coutelas. Toussaint-Louverture sur son cheval est monté dans le soleil, suivez-le ! Suivez-le, dix-sept fois blessé il n'est pas mort ! Les habitants de Saint-Domingue ne sont plus des esclaves !

Il tombe dans son fauteuil. Il est secoué de frissons et ramène sur lui les pans de son uniforme. Madame Toussaint apparaît à gauche, tournant le dos à la cellule. Solitude.

IV

MADAME TOUSSAINT

Cette poussière qu'ils appellent la neige, comme elle pèse sur mon cœur. Oh ! sur son cœur comme elle est froide !

MAMAN DIO

Connais-tu la poussière qui ne salit pas ?

TOUSSAINT

Avec mes lèvres brûlées, avec mon vieux corps raidi, je la connais. Vous avez compté mes cheveux, vous avez vu qu'ils étaient gris. Laissez-moi, laissez-moi.

MADAME TOUSSAINT, *solitaire.*

Souviens-toi, Toussaint. La case derrière les fabriques, le manioc bien planté. Oh ! les repas du dimanche à midi !

TOUSSAINT

Je vois les morts. Entassés, brûlés, noyés. Non pas un jour durant, mais deux fois cent années de suite. Je vois ce commerce, à droite la terreur, à gauche la fatalité ! Il y a trop de morts qui chaque soir viennent me consulter, criant : « Toussaint, Toussaint, qu'as-tu bâti sur nos tombes ? » Je leur dis : « Mes amis, je veux bâtir la liberté. »

MADAME TOUSSAINT

Tu t'asseyais au haut de la table. Le repas n'était pas pour l'abondance, mais pour l'affection.

TOUSSAINT

Ô ma femme. Je ne t'entends plus, je ne sais pas où tu demeures maintenant. Comment pourrais-je me souvenir? Et que deviennent mes enfants? Ils vous ont enlevés aussi, car ils craignent le nom de Toussaint.

MADAME TOUSSAINT

Nous marchons dans l'égarement. Dans la boue, oh! moins glacée que les sourires! Dans l'exil, sans le soleil et sans Toussaint. Fallait-il cela, mon mari?

TOUSSAINT, *il tourne la tête vers le mur.*

Quand la glace sera montée jusqu'à mon cœur, ce sera fini. Je vous échapperai! Là, parmi vous, mes morts, et vous ne pourrez pas me reconnaître.

MAMAN DIO

La poussière nage dans l'air comme une plante à coton. Elle tombe sur la terre comme du sel pilé! Mes poings sont dans mes entrailles, mais mon ventre est une caverne glacée. Où mettre mes mains? Où les réchauffer?

LIBERTAT

Ne changez pas ce qui existe. De quel droit, Toussaint? Je n'ai jamais frappé un esclave qu'il ne l'eût mérité par ses vols ou sa paresse ou son inconduite.

MACKANDAL

Entendez-le, entendez-le.

LIBERTAT

Les esclaves sont la propriété de leurs maîtres. Les Mulâtres achetaient des esclaves pour leurs plantations. Des Nègres libres les marchandaient.

MACKANDAL

Criez alors qu'il y eut une race pour fournir aux marchands, et non pas une autre en vérité.

LIBERTAT

Portes-tu sur le corps une seule marque de coups ? As-tu subi de mauvais traitements ? Ta révolte fut un crime.

TOUSSAINT

Je ne porte sur le corps que les cicatrices de mes blessures.

LIBERTAT

Tu as trahi ta patrie, combattu avec les Espagnols.

TOUSSAINT

Ma patrie ? Trahir est votre privilège, un esclave ne trahit pas. Le gouvernement refusait la liberté générale. Les colons désertaient pour conserver leurs bêtes, j'ai marronné pour défendre des hommes. Lequel trahit, monsieur Libertat ?

MACKANDAL

Tu dis : « Monsieur Libertat. » Et tu es plus grand que lui.

TOUSSAINT

Je dis : « Monsieur Libertat. » Je tenais sa vie et son honneur entre mes mains.

Bruit d'armes. Tambours. Clameurs. Madame Toussaint, effrayée, sort. L'aide de camp de Laveaux arrive par la droite, comme entre deux haies turbulentes et hostiles.

AIDE DE CAMP

À Toussaint-Louverture. Étienne Laveaux, gouverneur par intérim, vous appelle à cesser le combat. La République, sauvée par le peuple de Paris, proclame l'égalité absolue des hommes. Notre lutte n'a plus d'objet. La Convention nationale vous délivre le brevet de général de brigade, elle sera fière de compter dans son armée un soldat aussi valeureux. Les chefs qui servent sous vos ordres seront maintenus à leur grade. Tout individu, de quelque race qu'il soit, qui naîtra, vivra ou posera le pied sur la terre de Saint-Domingue, sera par le fait une personne libre. Salut et Fraternité.

TOUSSAINT

Répondez au général Laveaux que je suis heureux de telles nouvelles. Je ferai connaître ma réponse d'ici peu. Si les promesses sont tenues, Toussaint-Louverture ne faillira pas à la République.

AIDE DE CAMP

Les Anglais nous pressent au sud.

TOUSSAINT

Rigaud les battra, c'est un chef capable. Le bruit de ses victoires nous réchauffe le cœur. Voyez, capitaine. Vous êtes l'allié des Mulâtres dans le Sud, vous me combattez au nord.

AIDE DE CAMP

Le gouverneur espère en votre ralliement ; il faut desserrer l'étreinte des ennemis de la Nation autour de cette colonie. Le général Beauvais combat déjà pour la République.

TOUSSAINT

Rigaud, Beauvais. Ces Mulâtres n'ont pas connu le fouet ni le carcan. Ils sont plus libres que moi dans la liberté, j'étais plus esclave qu'eux dans l'esclavage. Ma liberté est forte, elle m'oblige. Il faut consulter le peuple, son intérêt et son avenir.

AIDE DE CAMP

Ce qui veut dire, général Toussaint ?

TOUSSAINT

Qu'il faut attendre et voir, capitaine. Qu'il faut s'habituer à la République, et qu'il faut saisir la bonne occasion.

L'aide de camp sort. Roulement de tambour.

MACAÏA

Toussaint, général, je te tuerai d'une autre manière encore, toi qui es déjà plus mort que moi dans cette cabane de glace.

LIBERTAT

Hier espagnol et royaliste, aujourd'hui français et républicain. La vie de l'homme est courte.

MACAÏA

Donc, un bon matin, il entend la messe, il communie avec son Dieu. Il avait son chapelain, comme ils disent. Puis il se porte contre les Espagnols, contre Biassou son frère ! Ils étaient tous dans la confiance, et Toussaint l'homme le plus pur ! Mais trahir a fait de lui un général républicain !

TOUSSAINT

Macaïa. Tu n'oserais pas, à Saint-Domingue.

MACAÏA

Tu m'aurais fait fusiller, Toussaint ?

TOUSSAINT

Je vous aurais abandonné entre les mains du peuple. Sa colère dirige sa justice.

DELGRÈS, *il avance.*

Est-il vrai, mon général, est-il vrai ?

TOUSSAINT

Laveaux m'avait juré la liberté, ma confiance était en Laveaux ! L'Assemblée nationale vota enfin le décret. Jusque-là, j'avais conduit la bataille sans désemparer. Vous dites que je renie ma parole. Mais Laveaux n'est-il pas comme notre père ? Ne l'avez-vous pas élu député de Saint-Domingue ? Après Dieu, c'est Laveaux ! La République me donne un pays, pour ma vie je suis fidèle à la République.

MACKANDAL

Toussaint, Toussaint. Je suis monté du fond de ta mémoire. Voici, tu me reconnais maintenant.

TOUSSAINT

Tous. Remontés, chacals des enfers, votre mort est plus désolée déjà que ne le fut votre vie ! Tu cries, Macaïa. Saint-Domingue n'est-elle pas le marigot rouge où tu te baignes ? Tu ne quittes pas le bain, vois la boue rouge sur tes mains. Ton cri descend comme la terre des fosses, dans ce pays où il n'y a pas de terre.

MACKANDAL

Biassou était ton frère d'armes, un homme de ta couleur.

TOUSSAINT

Et vous taillez dans ma tête avec vos coutelas sans fin. Ah ! ne jugez pas un homme qui s'est usé à ce travail ! Quand je suis monté sur les mornes, j'ai vu le désordre et l'assassinat. Je combattais Biassou, il agissait en esclave au moment même qu'il pillait sans faire la guerre. Je fais la guerre, point par point. Cette patience du travail quand le travailleur est libre. Je veux que nous apprenions cela !

44

Comprenez ! Que la République est montée en Quatre-vingt-douze et que nous, qui portions tant de rois sur nos têtes, nous sommes nés avec elle !

MACAÏA

Ils ne savaient pas le mot révolution, nous courions déjà la forêt. Nous, les marrons. Les chiens nous respiraient à une toise, au bon milieu d'une foule en paix. Les marrons portaient une odeur de liberté. Nous fabriquions notre République. Moi, Macaïa, chef des Dokos, qui n'ai jamais courbé la tête, j'ai mis mes armes au service de Toussaint quand Toussaint s'est battu pour nous !

TOUSSAINT

Et moi je ne prendrai pas les clés. Non. Je ne veux pas mourir avant d'avoir écouté.

MACAÏA

On n'apprend pas la liberté, il n'y a pas de date ! La liberté pousse dans la forêt, depuis le premier jour de la traite. Venez la cueillir, si vous voulez !

TOUSSAINT, *il bondit.*

Venez la cueillir ! L'éclair de la victoire. Seulement la victoire ! Les Verrettes ! L'Arcahaye ! L'Artibonite ! Dans le soleil des savanes ! À Mirebalais, à la Grande-Rivière ! Connaissez-vous Plaisance où j'enfonce les lignes, Limbé que je délivre, toute la terre avec les cultures qui reprennent...

MACAÏA

Admirez. Chantez. Le chant du propriétaire.

TOUSSAINT

Je prends le pays en flammes, le pays refleurit. Nous plantons les récoltes dans la cendre des combats. Avec les baïonnettes nous fabriquons des coutelas !

Acclamations. Laveaux entre à gauche, suivi de son état-major. Vivats pour Laveaux et pour Toussaint qui avance à sa rencontre.

LAVEAUX

Citoyens du Cap ! Le général Toussaint-Louverture a ma confiance ! Des victoires éclatantes, filles de son génie et de sa vaillance, ont raffermi notre courage, troublé l'âme de nos agresseurs, libéré les terres envahies. Organisateur de la paix, il entreprend de rétablir les cultures dans leur prospérité. Le général Toussaint est nommé lieutenant au gouvernement de Saint-Domingue. Tout homme, mulâtre, blanc ou noir, qui contreviendrait à ses ordres tomberait sous le coup de la loi républicaine. Citoyens blancs, ce sage est le plus sûr garant de votre sauvegarde. Citoyens noirs, voici le chef jadis prédit pour la défense de votre cause.

« Vive Laveaux ! Vive Toussaint ! » La foule défile devant eux. Laveaux se retire, après avoir embrassé Toussaint. Cris, feux, danses Blénil et Pascal rencontrent Désortils.

BLÉNIL, *montrant la foule.*

C'est votre République, Désortils. Elle embaume !

DÉSORTILS

Malheureux, si vous êtes reconnus...

BLÉNIL

Nous consentons le sacrifice de notre vie. L'Angleterre nous soutient, nous ne vous cachons pas qu'elle emporte notre assentiment.

PASCAL

Êtes-vous avec nous, êtes-vous contre ?

DÉSORTILS

Non, je ne puis m'abaisser à cette mascarade. Le ciel m'est témoin que je n'entendais pas aller contre l'autorité de l'État. J'ai accepté le nouveau régime. Les Mulâtres qui prétendent à voter. Jusqu'aux fils d'affranchis. J'accepte qu'on libère les esclaves ; si on y pense, que feraient-ils autre que travailler les plantations, à nos conditions et volonté ? République, Royaume, peu me chaut. Mais recevoir des ordres... Honte, honte ! il porte dans sa chair la marque de l'esclave. Nous, les Seigneurs, ne capitulerons jamais.

PASCAL

Vous en acceptez beaucoup, Désortils. Mais l'affaire est que vous nous aidiez.

BLÉNIL

Mon cher, si vous nous trahissez, votre famille en rendra compte par le sang, les enfants ne seront pas épargnés. Voici notre plan. Une embuscade pour sa voiture.

DÉSORTILS

Son carrosse.

PASCAL

Dix tireurs de chaque côté de la route. Réception pour le général !

BLÉNIL

Le seul ennui, son itinéraire. Voyez-vous ?...

DÉSORTILS

Peut-être... Un nommé Granville, un des secrétaires du Nègre. Il m'a quelques obligations, et par surcroît son état lui pèse. Nous pourrions...

Ils sortent avec la foule.

47

TOUSSAINT, *il rit doucement.*

La vermine émigrée revient, elle grouille dans mon ombre. Ils ont osé porter la main sur Laveaux, je suis accouru et je l'ai délivré. Ils s'attaquent à moi, ils fusillent ma voiture. Mais je galope dans l'escorte comme un simple soldat. Ils tombent sur mon escorte, mais je suis resté au Palais général. Ils me croient au nord, je parais à l'ouest. Ils se rassemblent dans les clairières, criant : « À la mort, Toussaint ! » Et qui voient-ils soudain bondir parmi eux ? Toussaint en personne.

MAMAN DIO

Ha i monté zéclè kon Ogoun monté
I fô tantécant' ki Ogoun solda
I pran zéclè dan siel i déchiré zéclè
Toussin ajounou douvan bon dié blan
Mé Ogoun maré-séré dan tett' li
Kidi frapé Toussin di tonbé raid mô
Fisi cassé douvan-ye
Nou ouè lespri assise adan zié gôche-li
Toussin papa Maréchal La Tempête
Déviré dan boi ho gran déboisè
Gadé san cochon rougi coutla nou
Gadé tett' nou volé alantou tett' ou.

(Car il est rapide comme Ogoun !
Il est fort comme Ogoun guerrier.
Il prend l'éclair et il le déchire.
Toussaint adore le Dieu des Blancs
Mais dans son cœur Ogoun est puissant !
Quand on le frappe on tombe mort,
Les fusils se cassent devant lui.
Ô Toussaint les loas boivent dans tes yeux
Ô Toussaint papa Maréchal des Tempêtes,
Quand reviendras-tu dans la foret ?

Ne vois-tu pas le sang du porc et le sabre ?
Ne vois-tu pas que nous volons autour de toi ?)

VOIX DE TOUSSAINT

L'étendard de la liberté flotte sur toute la surface de Saint-Domingue ! *(Acclamations.)* Officiers et soldats, s'il est un dédommagement dans les pénibles travaux auxquels je vais être assujetti, je le trouve dans la satisfaction de commander à d'aussi braves que vous. Que le feu sacré de la liberté nous anime, et ne prenons pas de repos que nous n'ayons vaincu nos ennemis.

Acclamations qui s'éloignent peu à peu.

V

LIBERTAT

Ainsi mon cocher se rebella contre l'ordre de Dieu. Je le proteste, ce ne fut certes pas selon mon enseignement, je ne suis pas responsable de son âme. S'il le mérite, qu'il conduise les attelages du démon aux marais des profondeurs. Nous serons tous jugés sur nos actes et sur nos intentions.

Il se dirige vers le mur au fond de la cellule.

TOUSSAINT

N'avez-vous pas leur courage, d'assister à l'agonie ?

LIBERTAT

Pour moi, j'ai descendu la part de mon destin qui coulait à côté du tien.

TOUSSAINT

Mort ou vivant, je vous garde affection.

LIBERTAT

Ce n'est pas qu'il ait été gouverneur. Ce n'est pas qu'il ait régné sur Saint-Domingue. Il a caché ma femme quand la Plaine brûlait, il l'a préservée de la mort et du déshonneur. Je ne peux pas le maudire. Mais cet homme verse le sang, pratique la guerre et la vengeance.

MACAÏA

Je me souviens. Un soldat de ma troupe cacha son ancien maître. Il le déguisa en servante, et l'homme tremblait sous la robe. Il le guida jusqu'à la ville. Si nous avions surpris ce soldat, nous l'aurions massacré ! Écoutez ! Le soleil ne s'est pas couché trois fois qu'il est surpris à son tour par l'Infanterie du Cap, reconnu et dénoncé par Mangin son seigneur, qu'il avait sauvé au risque de sa vie. Je crie pour l'esclave ! On le fusilla, son maître donna le coup de grâce.

LIBERTAT

Devrai-je vous absoudre pour la raison que vous aurez souffert ? Ton agonie commence, Toussaint, en ce moment où je m'en vais. Dans les champs de la nuit, déjà nous avons dressé ta couche, tiré ton drap. Ceux-là aussi te quitteront. Eux aussi, avec leurs pieds, ils dérouleront en s'en allant la chaîne de ton éternité. Quand le dernier partira...

TOUSSAINT

Ce sera l'heure, je le sais. Le moment de prendre l'habit invisible, qu'on ne quitte plus. Que celui qui fut le maître prépare donc la couche pour celui qui était l'esclave.

Bayon-Libertat s'éloigne, il disparaît au fond de la cellule. Amyot entre et réveille Manuel à coups de bottes.

AMYOT

Holà ! Debout !

MANUEL

Mon commandant ! C'est le commandant. Il n'est pas
méchant. Je vous assure, mon commandant. Tenez, vous lui
donnez les clés, regardez, il ne les prend pas. Tout ce qu'il
peut dire : « A-t-on fait parvenir ma missive au Premier
Consul ? » Une idée comme ça. Il n'est pas méchant, mon
commandant, je le surveille d'un œil.

AMYOT

Tais-toi.

TOUSSAINT

A-t-on fait parvenir ma missive au Premier Consul ?

MANUEL

Vous voyez, mon commandant, vous voyez !

AMYOT

Taisez-vous !... Toussaint, il n'est pas séant de refuser ces
nourritures. Si j'entendais vous tuer, le poison ne serait pas
mon arme. Je vous égorgerais, sans un liard de risques. Je ne
décide pas des mesures qui vous sont appliquées, vous le
savez. Un envoyé du Premier Consul est arrivé au fort. Il
vous entretiendra sur le sujet de votre lettre, c'est le général
Caffarelli. Préparez-vous aux révélations que vous annon-
ciez.

Il sort.

MANUEL

Mamamama ! Tu ne m'aurais pas réveillé, bien entendu !
Me laisser prendre par le commandant. Et j'avais confiance
en toi, général Silence. J'étais prêt à fraterniser. Manuel,

51

Manuel, ce cachot était bien près du Capitole, comme dirait le capitaine !

Il sort.

MACKANDAL

Regarde. Voici la nuit, nous montons dans la nuit. Viens avec nous. J'ai descendu l'avenir pour te rencontrer.

TOUSSAINT

Enfin, enfin. Je ferai la preuve de mon droit. Je dirai mon gouvernement. Je reverrai ma femme, mes enfants.

MAMAN DIO

Nous te supplions. Laisse dormir ton histoire dans l'incendie et le chaos, sans qu'un homme maintenant la réveille. Craignez le mot qui éclaircit la chose obscure ! Tu resteras à la fin, avec ces mots dans ta main comme un serpent mort. Voici, nous te prenons avec nous. Le père qui a accompli. Le soldat qui a combattu. Ne récite pas l'histoire, ô Toussaint, car les sourds ne t'entendront pas !

TOUSSAINT

Oh ! Sans omettre un mot, une parole !

MACAÏA

Viens. Nous descendrons par les sentiers inconnus des vivants. Macaïa révolté appelle Toussaint. C'est la même case, le pacte et le serment sous les trois fromagers. Viens, ne marche pas à l'envers sur le chemin de ta vie.

TOUSSAINT

Laissez-moi ! J'entreprends le travail à nouveau. Je traverserai les mers dans l'autre sens.

Alors, tu as conduit ton sarclage, ton carré est labouré !
Ogoun, Ogoun guerrier est parti loin de toi. Depuis ce
temps où tu commandas comme un gouverneur, non plus
comme un frère parmi ses frères.

*Elle tend le bras, comme pour montrer les trois colons qui
entrent. Granville les accompagne. Sa tenue est austère.*

VI

GRANVILLE

Vous échouez, une fois encore.

DÉSORTILS

Gardez-vous, Granville. Ce renseignement venait de vos
bureaux.

GRANVILLE

Le vieux sauvage est méfiant, il dit ceci, il fait cela. Comment savoir ?

PASCAL

Consultez un de leurs sorciers, au fond des bois !

GRANVILLE

Il est d'autres moyens que la mort. Cherchez, Désortils.

DÉSORTILS

Peut-être les Mulâtres... Étrange, n'est-ce pas ? Comme
ils se haïssent avec les Nègres ? Peut-être Rigaud.

GRANVILLE

Pauvres aveugles ! Attelés à vos bénéfices. Courbés sous le joug. Vos pensées butent contre un sou à ramasser, vous ne voyez pas l'horizon.

BLÉNIL

Gare, Granville.

GRANVILLE

Je n'habite pas une maison de maître, aucun mur d'orgueil ne me trouble la vue. Toussaint vaincra Rigaud.

PASCAL

Ce nègre déteint sur vous.

GRANVILLE

Un homme triomphera de Toussaint, une seule idée.

DÉSORTILS

Quelle idée ?

PASCAL

L'homme ?

GRANVILLE

Toussaint lui-même.

BLÉNIL

Que signifie ?

GRANVILLE

Il ne souffre que d'un manque, messieurs, par ce biais nous l'abattrons : il croit à l'ordre et à la prospérité. Les Noirs se détacheront de Toussaint si vous vous confiez à lui. Créez-le Grand Protecteur des Plantations.

Quel conte !

Rigaud d'abord. Si l'affaire échoue, nous reverrons votre proposition. C'est entendu, messieurs, nous pousserons les Mulâtres.

Et n'oubliez pas, vous nous avez insultés.

Insensés. D'être des seigneuries vous établit-il comptables de la vérité ? Toussaint écrasera Rigaud, sa force en sera décuplée. Je ne sais pas pourquoi je m'évertue à vous défendre. Vous traînez vos préjugés à la manière de fantômes sanglants. Quand Toussaint oubliera son peuple, quand il sera repris par sa passion d'économe et de sarcleur, son peuple le quittera, et il sera entre vos mains. Mais vous ne l'aurez pas vaincu. Seul Toussaint Abréda triomphera de Toussaint-Louverture.

Ils sortent, cependant que Toussaint crie.

VII

Assez. Assez.

Nous t'avions dit : « Voyez ! Il y a en toi une force qui n'est pas plantée dans notre force. »

Permets que ton peuple s'habitue à la terre, prends patience, toi, ne lui impose pas des carcans à nouveau.

TOUSSAINT

Macaïa, la liberté ! J'ai levé la liberté, seulement avec mon vieux corps et ma tête qui roulait toutes les affaires sans repos ! Mackandal, la race ! Ainsi nous taillerons dans la chair des autres, pour remplacer les bras qu'ils nous ont coupés ? Mes amis, oh ! la terre pousse, fertile, jusqu'à la mer ! La mer est ouverte sur le monde entier. Toi, Maman Dio, les ancêtres, la croyance ! J'ai connu la croyance universelle, est-ce ma faute ? J'aime la paix de cette religion. Et toi, là dans l'ombre, que veux-tu, avec ton silence ? Dois-je m'arracher la langue et l'épingler sur ton uniforme ?

DELGRÈS, *il avance.*

J'étais à la Guadeloupe, la récolte de mai allait s'achever. Oh ! Nous n'avions aucune autre possibilité ! Ce général Richepanse nous encerclait avec vingt fois plus de monde. C'était au morne Matouba. Nous étions trois cents, aucun d'entre nous n'entendait se rendre. Nous nous sommes fait sauter sur notre poudrière.

TOUSSAINT

Delgrès, le commandant Delgrès !

DELGRÈS

Parfois je vous entendais prononcer mon nom ! alors je criais : « Ces trois cents ne sont pas morts, puisque Toussaint-Louverture plante sa confiance dans leur souvenir ! »

TOUSSAINT

Ainsi vous venez pour l'honneur.

56

Pour la tranquillité, mon général. Pour ce trou dans la boue, à l'endroit de la poudrière, qui n'est pas encore bouché.

TOUSSAINT

Et vous pensez, commandant Delgrès, qu'il y a loin de votre Matouba jusqu'à ma prison ! Que j'étais libre de choisir un autre sort. Que j'étais digne d'une autre mort, d'une poudre plus glorieuse que cette poussière de neige par laquelle je périrai, lentement, tel un misérable.

DELGRÈS

J'espère. Ah ! J'espère ! Lequel d'entre nous a accompli plus que Toussaint ?

TOUSSAINT

Mais vous le pensez ! Pourtant, il faut revenir à Saint-Domingue. N'annoncez pas ma mort, je vous vaincrai à votre tour, mes compagnons. Sinon je porterai vos paroles jusqu'à la fin, sans reculer, sans faiblir. Jusqu'au dernier mot qui m'emportera au Congo.

La lumière décline. Le geôlier Manuel chante tristement au-dehors.

LES MORTS

LES MORTS

La cellule est dans l'ombre : la nuit tombe sur le Jura. Mais Saint-Domingue est en éveil. Le général Rigaud entre à droite. Il est mulâtre, il porte une perruque sur ses cheveux crépus.

I

RIGAUD

En cette année, cinquième de la République, les Mulâtres sont maîtres du Sud. Nos martyrs criaient l'espérance, l'espérance est venue jusqu'à nous ! Quand ils eurent supplicié Ogé, ils l'exposèrent sur la roue ; non pas au centre de la place, à l'ordinaire des exécutions, mais à l'endroit le plus reculé. La mort n'acceptait pas l'offrande d'un Mulâtre avec l'apparat qui eût convenu pour un Blanc. Sept années passèrent, entraînant le torrent de la guerre civile. Hommes libres, mais caste sans dignité, nous commençâmes la lutte. Le général Toussaint nous consentira cette noblesse, d'avoir été les premiers. Comme il libéra le Nord, j'ai libéré le Sud. Ce qu'accomplissait Toussaint-Louverture, Rigaud l'accomplissait. Nos victoires furent aussi vastes que les siennes, et la puissante Angleterre compte aujourd'hui les cent mille soldats morts qu'elle a laissés sur notre sol. Les hommes de couleur ne haïssent pas les Noirs. Ils veulent seulement la justice et l'égalité.

Il sort. Dessalines entre à gauche. Uniforme approximatif de général. Sa chemise est largement ouverte, un sabre est passé à même sa ceinture de toile. Granville le suit.

II

TOUSSAINT, *solitaire.*

Dessalines, Dessalines, ta voix manquait au cortège de mes fantômes.

GRANVILLE, *à Dessalines.*

Salut et fraternité, général. Saluons la paix parmi nous. Toussaint au nord, Rigaud dans le Sud, Saint-Domingue respire.

DESSALINES

Savez-vous les nouvelles de la France ? Encore un gouvernement, le Directoire. Les colons relèvent la tête. Les armateurs achètent les Conseils.

GRANVILLE

Eh bien ? Sous le règne du tyran Capet, les courtisans jaloux murmuraient déjà : « Sire, votre cour est créole. »

DESSALINES

Notre commandant n'acceptera pas qu'on joue avec la liberté.

GRANVILLE

Rigaud et Toussaint s'admirent. Leur affection est partagée.

DESSALINES

Vous tâchez à m'endormir, Granville. Vous verrez que les émigrés tenteront de les opposer, et les Anglais, et le Directoire. Car Toussaint et Rigaud unis seraient invincibles pour toujours.

GRANVILLE

Que craignez-vous ? Ne sommes-nous pas de fidèles républicains ?

DESSALINES

Mais les autres ? Et moi, soldat sans loi, hier esclave, oui, oui, je me battrai jusqu'à la mort pour cette liberté. Je vous observe, Granville. Ce dévouement à notre chef me plaît. Vous êtes sa main quand il écrit, je suis son bras quand il fait la guerre. Mais j'ai vu parfois cet éclat dans vos yeux. N'essayez pas, Granville, n'essayez pas.

GRANVILLE

Vraiment, Dessalines, je crois que vous menacez. Vous est-il tant nécessaire de vous battre ? Si vous m'appelez, certes, je répondrai. Au moment qu'il vous plaira.

DESSALINES, *il rit.*

Je ne me bats pas en duel, monsieur Granville. Je me bats, c'est suffisant. Je réserve mon bras pour le service de Toussaint.

GRANVILLE

Convenez aussi que la paix ne vous réussit guère. Chemise ouverte, point de galons, le sabre comme un pirate.

J'admire Christophe, Moyse, Bélair, Clairveaux, leur opulence fait murmurer les généraux venus de Paris. Vous seul en si piteux accoutrement allez partout tel un brigand.

DESSALINES

Mais vous le saviez, n'est-ce pas, monsieur le Secrétaire ? Ma chemise de général est ouverte sur des traces de cravache. Ma peau en est labourée comme un carreau de cannes après la récolte. Dix fois, cent fois ils ont planté dans ma chair le maïs brûlant de la haine. Tant que je verrai ces traces, je n'oublierai pas de combattre ni de veiller !

Ils sortent.

TOUSSAINT

Ses soldats l'ont nommé le Tigre : c'est que chacun tremble devant Dessalines, qui ne tremble que devant Toussaint.

MACKANDAL

Ah ! j'appelle le Tigre ! J'ai respiré le Tigre.

MAMAN DIO

Il a bu le sang du pacte dans le Bois-Caïmans. Il m'a crié : « Maman Dio », comme un engagé doit crier.

TOUSSAINT

Maman Dio ! Maman Dio !... Pourtant je ne suis pas engagé... Brûlez les récoltes, semez la farine dans les champs ! La viande salée, jetez-la dans la mer sans penser au lendemain... Sur toute la terre dévastée j'ai cherché longtemps un igname pour mes soldats.

MACAÏA

Je vous dis que ce Nègre a l'âme républicaine. Il pense au lendemain. Il économise !

Allons, mes intentions sont arrêtées, nul ne peut débattre sur mes plans. Ni vous en vérité ni les vivants.

Manuel entre dans la cellule et allume un feu dans la cheminée. Le capitaine Langles, très déclamatoire et pour tout dire aviné, le suit.

III

LANGLES

Ainsi nous chauffons ! Nous voici installés dans nos commodités. Moi qui ne fus pas désigné pour chasser la bête, du moins me conforterai-je en sa compagnie. À défaut d'avoir préparé le piège, on me confie de nettoyer la cage ! Manuel, Manuel, était-ce donc là ma destinée ?

MANUEL

La faute n'est pas à vous, capitaine.

LANGLES

J'étais né pour de sublimes actions ! Sur mon berceau, regarde, les muses se sont penchées, disputant à Mars les boucles de mon front.

MANUEL

Alors, je suis venu tout chauve, il n'y a pas de doute !

LANGLES

Héros et dieux ! Guerriers des temps antiques ! Alexandre, César, Attila ! Et toi, Condé mon cousin ! Courez dire au Premier Consul que votre compagnon se consume dans l'inaction ! Et vous, majestueuses voix qui embellissez les bosquets de l'Olympe, accourez au concert de mes lamentations !

MANUEL

Capitaine, je vous dis que c'est le rhum. Moi aussi, j'entendais comme des voix.

LANGLES

Et que fallait-il pour dompter le Dragon des Îles ? Certes, la fine fleur de nos armées ! Ils partirent, les héros, bravant la tempête et les flots. L'azur fourbissait leurs armes ! Apollon sur son char les conduisit vers le couchant ! Et moi je suis resté sur le rivage, argonaute déchu qu'une seule princesse aura pleuré : ... Manuel !

MANUEL

Mon Dieu ! Mon Dieu !

LANGLES

Pas de Dieu ! L'Être Suprême n'apparaît qu'aux purs soldats de l'épopée qui... Enfin... Moi je suis resté là !

MANUEL

De quoi donc parlez-vous, capitaine ?

LANGLES

L'expédition de Saint-Domingue, cuistre. Un exploit des temps modernes, en éclat comparable à l'envahissement de l'Angleterre qui se prépare, et même, à la campagne d'Égypte.

MANUEL

Excusez-moi, je suis un pauvre ignorant.

LANGLES

Eh bien, écoute : pour Saint-Domingue, ce furent les meilleurs. Trente mille hommes de l'armée d'Égypte, choisis. Écoute, pauvre enfant longtemps égaré par les mensonges de l'Autrichien. Il y eut Boudet, le second de Desaix, il trouva la gloire à Marengo. Étais-tu à Marengo ? Il y eut Dugua et Boyer, qui ravagèrent le désert. Et Humbert, qui fut chef suprême en Irlande. Il y eut, par-dessus tant de bravoure, la grâce immatérielle, l'Égérie des guerriers, madame Pauline en un mot, dont j'eus l'honneur de baiser la main un soir de bal dix Feuillantines. Mais il n'y eut pas le capitaine Langles, on l'oublia ! Fut-il jugé indigne de l'entreprise ? Nul ne saurait le prétendre ! Le soutiens-tu, maraud ?

MANUEL

Attention, vous allez tomber. Vous dites que c'est le destin, pour moi c'est le rhum... Attention.

Il l'emmène. Silence.

TOUSSAINT

Toujours, ce combat entre les vivants et les morts. Je le sais, moi qui parle aux morts et à qui leurs volontés sont familières. Jadis, j'écoutais les récits et les contes, près de la dernière case. J'entendais les herbes derrière moi, c'était comme si la nuit me poursuivait, avec ces cheveux qu'elle me laçait dans le dos. Je t'ai vu, Mackandal. Un soir, tu as écarté les branches, tu es tombé dans la lumière des flambeaux. Mon cœur s'est arrêté, nul ne t'avait remarqué, le conteur déclamait son histoire ; autour de lui, les femmes brillaient sous la lune, les enfants se tenaient les doigts des pieds, les hommes rêvaient tout doux. Dès cette nuit j'ai désiré connaître la Grande Case des maîtres. On voyait au loin les lumières de la véranda. Oui, je voulais entrer dans la maison tranquille, pour oublier ton regard, député des morts. J'avais réussi en vérité, j'avais perdu votre troupe. Il faut donc que tu sois venu avec tes amis, pour le dernier assaut que je livrerai. Ce capitaine parfumé, ces gens de prison ne sont-ils pas moins réels que vos cris et vos serments ? Je ne recule pas. Puisque vous m'ouvrez vos pays maudits, oui, je m'y engagerai sans trembler. Je quitte pour vous les rivages de ma vie, voyez donc si j'hésite. Ma lutte est maintenant contre vous, aussi bien que contre Rigaud. Je le connais. Son département du Sud n'est pas infini comme le vôtre, j'y entrerai. Non pas sur le cheval à trois pattes que vous me destinez pour le dernier voyage, mais à la tête de mes armées, sur mon étalon Bel-Argent. Monsieur Rigaud est éloquent, il aime à proclamer ses actions ; quand il lève le bras, il crie qu'il va frapper. Je frapperai sans avertir.

Talleyrand bouge le doigt, Rigaud fait une proclamation. Le ministre qui l'enhardit m'écrit aussi pour m'approuver ; ces bourgeois attisent le feu. Au nom de la liberté il faut combattre Rigaud qui croit bêcher la liberté. C'est un vaillant, il a fait la guerre en Amérique, mais il attendra longtemps les troupes de Paris, Talleyrand est plus fort à promettre qu'à risquer. Ce Rigaud ne déteste pas les Nègres, non, non, elle est toute petite la perruque qu'il porte sur ses cheveux crépus ! Et il est habile. Mais il ne sait pas comment m'abattre ; car il balance entre tant d'intérêts divers et moi je ne connais que le salut de mon peuple. Eh bien, commandant Delgrès, vous qui êtes mulâtre, mort pour la liberté, que pensez-vous de la poudrière sur laquelle je vis maintenant ? Mais ne le dites pas, notre assaut commence : Ici est mon dernier champ de bataille.

Rigaud ne m'oppose que son armée, pour vous c'est votre invite que je peux craindre. Il me faudrait lutter pour refuser de vous suivre. Les morts, sans répit, courtisent les vivants, l'agonie est leur temps de fiançailles. Sur le commencement de votre empire vous dansez votre sabbat de reproches, de cris. Vous calculez que je m'échaufferai jusqu'à oublier le chemin, tout occupé à justifier des actes de ma vie. Oui, je ne suis qu'un ignorant, mais qui s'est levé à la fin, avec la terre dans sa tête ! Nul n'a pu vaincre Toussaint, ce n'est pas vous qui commencerez ! Si vous voulez que je vienne, voyez, je suis prêt. Pour moi, depuis le premier jour c'était la mort ou la victoire. La victoire est dans les mains de mon peuple. Voici mes mains. Les voici.

Les morts sont immobiles. Dessalines et Granville entrent en avant.

IV

DESSALINES

Alerte, Granville, alerte ! Les Anglais sèment la discorde sur les plantations.

GRANVILLE

Commençons par nos amis du Sud. Ils sont plus dangereux que les Anglais, n'est-ce pas ?

DESSALINES

La proclamation ?

GRANVILLE

Qu'elle soit impitoyable. Qu'elle épouvante ces révoltés, afin de les maintenir dans le devoir.

TOUSSAINT, *il avance.*

Excellente politique. Granville, si vous espérez m'abattre par Rigaud. Sinon l'idée ne vaut rien... Êtes-vous prêt ? *(Il dicte.)* « Citoyens du Sud. Par quelle fatalité, jusqu'aujourd'hui sourds à ma voix qui vous rappelle à l'ordre, n'avez-vous écouté que les conseils de Rigaud ?... Je vous le répète, ce n'est pas à vous que j'en veux, mais à Rigaud seul, insubordonné, que je veux forcer à la soumission. Vous n'auriez pas dû le soutenir !... » Barrez : « à la soumission ». Nous mettrons : « que je veux forcer à rentrer dans ses devoirs ».

GRANVILLE

L'expression est plus faible.

TOUSSAINT

Tentez-vous de me jouer, Granville ?

GRANVILLE

Loin de moi. Mais « soumission » vaut mieux.

TOUSSAINT

Écrivez : « Mettez la main sur votre conscience, vous reconnaîtrez que Rigaud a voulu lever les Mulâtres pour en faire ses partisans et ses complices. Songez aux malheurs qui vous menacent, hâtez-vous de les prévenir. Mais si, malgré mes paroles, vous persistez à soutenir la révolte de Rigaud, alors ne comptez pas sur les fortifications qu'il a faites ; mon armée, conduite par les généraux dont vous connaissez déjà la bravoure, vous combattra et vous serez vaincus... »

GRANVILLE

Bien, bien, monsieur le Gouverneur !

TOUSSAINT

Mais nous ajouterons ceci : « Aujourd'hui encore, si Rigaud se présentait de bonne foi pour reconnaître la faute, je le recevrais... »

GRANVILLE

Le fils prodigue.

TOUSSAINT

Bien, bien, monsieur Granville !... Vous mettrez donc à la fin : « Le père de l'enfant prodigue le reçut après son repentir... » Arrangez le tout. De la modération, pas de représailles. Chaque soldat mort est un travailleur de moins.

GRANVILLE

Oui. Labourage est la seule mamelle de Saint-Domingue.

DESSALINES

Qu'est-ce que c'est encore ?

GRANVILLE

La moitié d'une citation, général.

Il sort.

DESSALINES

Je ne comprendrai jamais cet homme !

TOUSSAINT, *il rit.*

Mon fils, tu es trop fougueux.

DESSALINES

Tous ces Blancs qui vous entourent, papa Toussaint.

TOUSSAINT

Me ferez-vous des observations ? Oublie les bois, la haine ! Ils portent l'anarchie et la stérilité. Fortifions nos positions, faisons place nette autour de nous. Mais appelle aussi les savants, les ingénieurs, la science est universelle.

DESSALINES

Le Directoire trahit la Révolution. Il nous combattra.

TOUSSAINT

J'ai promis d'attaquer la Jamaïque. Tant qu'ils le croiront, ils nous laisseront en paix.

DESSALINES

C'est donc que les Anglais recommenceront le feu ; ils seront obligés.

TOUSSAINT

Non. Jamais je n'irai à la Jamaïque, ils le savent. Tant qu'ils attendront l'expédition du Directoire contre nous, ils se contenteront d'entretenir l'agitation dans nos champs de culture.

DESSALINES

Tant et tant et tant ! Nous sommes assez forts pour marcher dans le grand chemin ! Ou alors, reprenons par les mornes. Quand nous étions des esclaves, pensions-nous à rencontrer ces gens ?

Dessalines sort.

MACAÏA, *très calme.*

Il nous tendait les mains, je ne les prendrai pas. Je suis un homme des bois. Donc je suis anarchique et stérile. Ah ! le temps qui me baigne n'est plus celui qui te porte ! Deux fois nous avons été séparés, Toussaint. D'abord par l'épaisseur des bois. Ensuite par ce pays de la mort qui a grandi entre nous et que le temps ne ravine jamais...

L'ombre d'une sentinelle apparaît dans la tour du guet. Rigaud entre en avant, précédant les trois colons qui restent dans son ombre. Applaudissements.

V

RIGAUD

Le général Hédouville, Commissaire délégué par le Directoire, m'a libéré de mes devoirs envers le traître Toussaint ! Citoyens, officiers et soldats de l'armée du Sud ! Toussaint est un tyran qui livre à la dévastation tous les lieux où peuvent pénétrer ses hordes barbares, et qui nous explique chaque jour ses secrets politiques par le sang qu'il fait répandre à grands flots. Attaquons le scélérat, n'attendons pas qu'il vienne à nous. Et si par malheur les hasards de la guerre amènent ses armées jusqu'à nos paisibles campagnes, alors, soldats du Sud, laissez entre vous et les bataillons du Nord un désert de feu, faites en sorte que les arbres mêmes aient les racines en l'air. Citoyens de toutes les couleurs et de tous les états ! Jurons de nouveau fidélité au gouvernement. Union entre nous et constance à nos postes ; tenons nos serments et nous serons invincibles !

> *Clameurs. Rigaud sort, suivi des colons. Dessalines entre à gauche, portant une carte. Des soldats l'accompagnent.*

DESSALINES

La guerre. Rigaud emporte le Petit-Goave. La garnison passée au fil de l'épée.

AIDE DE CAMP

Le Grand-Goave aussi. Léogane, tombée.

GRANVILLE

Son parti opère une manœuvre de diversion au nord. Rabel et le Moule surpris. Les garnisons ralliées au sud.

TOUSSAINT

Allez, messieurs. Commandant, l'intendance. Granville, le courrier pour Paris.

Granville et l'aide de camp sortent.

TOUSSAINT

Dessalines, vous marchez sans hésiter sur Jacmel, vous encerclez la ville. Pour moi, je soulèverai les populations du Centre. Votre blocus fixera ses meilleures troupes, Rigaud tiendra juste un an.

DESSALINES

Il prendra les places de l'intérieur, papa Toussaint ! Regardez le dessin sur la carte.

TOUSSAINT

Je connais mon pays, Dessalines. Enlève le port de Jacmel, et il est comme un poisson sur les roches à midi. Pendant qu'il attendra les troupes de Paris, nous le couperons.

DESSALINES

Si ces troupes débarquaient...

TOUSSAINT

Imagine le calcul de Talleyrand. Vois-le dans son bureau, il lit les rapports des colons, il pense. Un esclave qui a vécu cinquante ans dans l'obéissance et l'abrutissement n'est pas capable de se maintenir longtemps, ce Toussaint-Louverture n'a pas d'élévation, laissons-le pourrir dans cette guerre, c'est assez qu'ils s'affaiblissent et se tuent entre eux... Non, les troupes ne viendront pas. Exécutez les ordres, général.

Dessalines sort. Bruit grandissant des combats. Delgrès avance.

L'étincelle est dans la mèche comme un soleil : il va précipiter la nuit ! N'ai-je pas vu un arbre voler dans le ciel, avant que ce soleil m'ait couché dans la boue à jamais ? Ô je suis fatigué, Toussaint ! Faut-il que sans fin l'usure et la rapine à nos destins s'accrochent, tintant le glas, tintant le glas. Que pour dix livres de sucre un homme tue, un frère son frère ? Faut-il que la passion dans la mort nous rejette, afin que morts nous haïssions ? Ô je suis fatigué, Toussaint ! Nous voici sur l'horizon à nous tendre les mains. Guadeloupe, Martinique, Saint-Domingue. Faut-il qu'aujourd'hui les Mulâtres prennent les armes ? N'a-t-il pas suffi de ce soleil dans lequel nous sommes abîmés, moi commandant et les autres trois cents me regardant nouer la flamme sans lumière ? Tous unis dans cette approche. Noirs, Mulâtres. Tous éperdus. Tous tremblants. Tous résolus.

Est-il terrible qu'un peuple naisse dans sa terre ? Faut-il tant de chemins, combien d'embûches, quels travers, le sang du sang et la mort dans la mort ? Ô je suis fatigué, Toussaint !

Vois grandir ta victoire : tes plans vérifiés, ton travail récompensé, tes mains tranquilles maintenant sur l'encolure de ton cheval. Tu rêves à des fertilités sans nombre. Je te comprends.

Mais qui ôtera la vie de la bouche des morts ? Qui donc, ô Toussaint, nous couchera dans le dernier tombeau ? Qui, vivant, osera entrer dans la mort, afin que les morts s'arrachent de leur vie et se détournent vers le Ravin ?

Les morts avancent vers Toussaint.

TOUSSAINT, *il rit.*

Les défunts demandent assistance... À quoi sert de torturer un vieux Nègre qui n'est pas dans votre sentiment ? Après avoir donné la vie aux vivants, il faudra que j'enfonce les morts dans leur mort ! Qu'attendez-vous dans ce cercle dont soudain, voilà, c'est moi le mitan ? Je galopais sur mon cheval à travers les éclats et les fusillades, êtes-vous venus pour détourner les balles ? Quand j'ai commandé, quand j'ai vaincu, avez-vous éclairé mon esprit ? Tendez l'oreille : la guerre contre le Sud est comme un lointain refrain du néant. *(On entend le grondement de la bataille.)* Chantez, la musique est dans votre tête ! Ce combat n'est pas digne de paraître ici, je ne vous en ferai pas les honneurs... Et ne posez plus un pied en avant, ne vous éloignez pas de votre empire, la fatigue vous noierait sur le retour ! Alors vous tourneriez sans fin au loin de ces enfers que vous n'auriez pas dû quitter...

La porte de la cellule s'ouvre brutalement. Caffarelli, Amyot et Langles entrent.

VI

AMYOT

Le général Caffarelli, envoyé du Premier Consul.

CAFFARELLI

Il nous est revenu que vous déteniez des renseignements ?

TOUSSAINT

Je ne parlerai qu'à vous seul.

Caffarelli fait un signe, Langles et Amyot sortent.

CAFFARELLI

Eh bien ?

Ma famille. M'apportez-vous des nouvelles de ma famille ?

CAFFARELLI

Votre famille est sauve. N'en parlons plus.

TOUSSAINT

Ma maison, saccagée. Ma propriété, dévastée. Mes enfants, mon épouse, enlevés, maltraités. La République ne doit-elle pas assistance à une femme de cinquante-trois ans qui n'a jamais pensé aux affaires de la politique ? Au moins, pour les services que j'ai rendus à la Patrie.

CAFFARELLI

Discutons de vos fautes, non pas de services.

TOUSSAINT

Si j'ai failli à ma tâche, je demande à être jugé.

CAFFARELLI

Vous promettez des révélations, j'attends.

TOUSSAINT

Général Caffarelli, vous ne savez pas ce qu'il m'en coûte de vous parler maintenant.

CAFFARELLI

Que craignez-vous ? Nous sommes seuls.

TOUSSAINT

Le Premier Consul me condamne pour avoir proclamé la Constitution de Saint-Domingue. Je prouverai qu'elle était nécessaire. Pourquoi une armée, là où un seul homme, se présentant au nom du Consulat, aurait été accueilli et écouté ? Si c'est mon attachement à la République qui est mis en cause, je prouverai...

> *Lamento prolongé de Maman Dio. Elle avance et couvre la voix de Toussaint. On n'entend plus celui-ci, on le voit parler avec Caffarelli, comme à travers une muraille transparente. A l'appel de Maman Dio les tambours résonnent soudain. Les morts traduisent les paroles de Toussaint.*

MAMAN DIO

Oh ! Couvrez la voix ! Roulez tambours !
Depuis si longtemps je n'ai pas vu un tambour dans la terre, planté comme un acacia !
Depuis si longtemps les tambours n'ont pas dévalé les mornes
Dans la nuit au-dessus de Bois-Caïmans ! Oh ! battez !
Oh ! couvrez la voix et la fatigue !
Donnez la voix, couvrez la voix ! Toussaint appelle à son secours, il est tombé.
Il dit qu'il est fidèle, un bon serviteur, un gouverneur sans reproche !

MACKANDAL

Il dit qu'il n'a jamais failli à sa parole car il n'a pas attaqué.

MACAÏA

Sétadi an lodè salon i garé lodè neg.

(C'est-à-dire qu'il oubliait dans les salons l'odeur de son peuple, oui.)

MAMAN DIO

Sétadi chimin monn' garé-ye, i tonbé sou la coloniale.

(C'est-à-dire qu'il quittait la route libre sur les hauteurs et qu'il rampait sur la coloniale.)

MACKANDAL

Il dit qu'il a rétabli la paix, amélioré le commerce du rhum.

DELGRÈS

Il dit qu'il protégeait les biens de Madame Beauharnais et aussi de tous les colons.

MACKANDAL

Il dit que la richesse était sur l'arbre, pour tous à cueillir, pour tous.

MACAÏA

Sétadi i té còdonié i fè cod épi neg pou soulié lè zott.

(C'est-à-dire qu'il courbait son peuple dans la terre comme une liane !)

MAMAN DIO

Vouéyé ronm anlè-ye, ho ! Mi an condané a la otè. I sa fè ronm, sé an colon tou pi. I maré frè-ye a dizan, i lagié-ye a carantt. A carantt an toutt' frè mô, sa ki fè tantécantt bari ronm pou Madame Beauharnais. Trentt lan-né bari ronm, dépi sinkiè jou rouvè jiss dizè gro lan nuitt, ho Toussin.

(Oh ! Donnez-lui du rhum à boire. Un condamné méritant ! Il sait fabriquer le rhum, c'est un vaillant colon. Il prend son frère à dix ans, il le lâche à quarante. À quarante ans son frère est mort et ça fait tant de barils de rhum pour Madame Beauharnais. Trente années de barils de rhum, depuis cinq heures du matin jusqu'à dix heures dans la nuit, ô Toussaint.)

MACKANDAL

Il dit que peu de généraux remportèrent autant de victoires pour le Bien public.

MACAÏA

Sétadi foss-li an foss-nou, goumin-ye sé goumin-nou.

(C'est-à-dire que son génie est avec le sang de son peuple et la vaillance de son peuple.)

MAMAN DIO

Ô Toussaint papa général !

MACKANDAL

Il dit qu'un général en chef a le droit de ne pas pourrir dans un cul-de-basse-fosse glacé.

MACAÏA

Sa vlé di sé pou ayin yo planté neg dan trou fonmi, yo sispann' neg pa an sel pié.

(C'est-à-dire qu'il oublie ceux qu'on donnait aux fourmis, ceux qu'on pendait par les pieds.)

MAMAN DIO

Ô Toussaint papa général !

MACKANDAL

Il dit que pour le commerce et pour le profit la République a perdu Saint-Domingue quand le général Brunet a arrêté Toussaint.

MACAÏA

Sa vlé di la répiblic pa ta Sin-Doming mé Sin-Doming ta la répiblic.

(C'est-à-dire qu'il pense que Saint-Domingue était à la République et non pas la République dans Saint-Domingue.)

MAMAN DIO

Oh ! Battez, roulez tambours ! Maman Dio quitte Toussaint, il nous avait menés jusqu'à la mer.

Tout se fige : tambours, gestes, paroles : Caffarelli s'est dressé brusquement.

CAFFARELLI

Je ne suis pas venu ici d'une traite pour écouter vos impertinences ! J'ai abandonné mes amis, mes relations, ma vie et mes espérances, pour recueillir vos prétendues révélations. J'entends connaître l'emplacement de votre trésor, enregistrer l'aveu de votre trahison. Je vous consens deux jours. D'ici à cette date vous ne recevrez plus de bois pour votre feu. Peut-être vous en viendra-t-il quelque lumière.

Il sort. Maman Dio avance, elle appelle les tambours et les danseurs.

MAMAN DIO

Donnez la voix ! Roulez ! Dansez pour Toussaint ! Calenda calenda !

Que vois-tu, Toussaint, que vois-tu, passé les mornes, passé la mer ?

Vois-tu le froid courir comme un lapin sur son tapis blanc,

Vois-tu Caffarelli le cafard à qui tu as tendu la main et qui te mord maintenant ? Oh !

Celui qui est seul pour toujours, sa voix tombe et ses yeux sont fermés !

Ses yeux sont fermés oh

Un filao ne monte pas éternel

Ses yeux sont fermés oh
La solitude sonne, amarrée à son cou.

> *Les danseurs avec les tam-tams lancent leurs rythmes et leurs corps vers Toussaint immobile. Peu à peu ils disparaissent. Maman Dio qui dirigeait leur danse recule vers la sortie invisible au fond de la cellule.*

TOUSSAINT

Tu t'en vas, toi.

MAMAN DIO

Je m'en vais.

TOUSSAINT

Toi aussi, toi aussi.

MAMAN DIO

Moi aussi.

TOUSSAINT

Pourtant as-tu compris ce que je chantais dans ma tête ?

MAMAN DIO

Nous ne battons pas sur le même tambour, ô Toussaint !

TOUSSAINT

Toi la première.

MAMAN DIO

Moi la première. Dans les pays au loin au loin.

TOUSSAINT

Et qui la première veut suivre Bayon-Libertat. Et qui la première s'arrache de mon espoir et du combat.

MAMAN DIO

J'étais dans les rues, je voyais passer le cortège. C'était après ton enlèvement, nos hommes reprenaient les armes. Il y avait un jeune garçon, les flamboyants jetaient leurs fleurs sur ses épaules, dans un grand vent. Les femmes blanches criaient : « Qu'on le pende, qu'on le fusille, sortez ses tripes. » Je ne sais pas, Toussaint, j'ai pris un coutelas, j'ai frappé partout. Ils m'ont traînée, ils m'ont déchirée. Je voyais mon fils, était-ce mon fils ? Je l'ai vu et j'ai crié.

TOUSSAINT

Sans répit la mort nous ouvrait son registre.

MAMAN DIO

Nous te disions : « Prends garde. Il y a pour toi une tempête, elle n'est pas enracinée dans notre ciel ! »

TOUSSAINT

Maman Dio. Maman Dio.

Elle a traversé le mur. Silence. Manuel entre dans la cellule, portant une lampe.

VII

MANUEL

Domingue, tu penses trop. Tout seul, toujours, dans ton fauteuil. Si tu voulais me parler. Mais non ! Résultat, je deviens triste, triste. Résultat, je bois plus qu'il ne faut. Résultat, je ne sais plus, je suis petit, méchant, tout sec. Quelle prison, madona, quelle prison !

LANGLES, *il entre, portant des bûches.*

Voilà. Quand on aperçoit le digne geôlier...

MANUEL

Gardien de cellule, citoyen capitaine, gardien de cellule.

LANGLES

Ô Philosophie... Force éternelle de notre civilisation, même dans la cervelle obtuse d'un Piémontais tu t'installes en souveraine. Gardien de cellule, mon cher, gardien de cellule. Voici donc notre gardien de cellule, c'est pour annoncer ?...

MANUEL

Le geôlier, dame.

LANGLES

Le geôlier. Je ne rougis pas du titre puisque c'est toi qui le décernes ! Voyons, j'apportais ces quelques bûches, non pour le plaisir vulgaire de les voir flamber, mais pour nous exercer à l'art suprême et délicat de la tactique. Voici l'ennemi, une vraie montagne. Accordons-lui quelques réserves, là...

> *À quatre pattes, il ne cessera plus de disposer et de déplacer les bûches.*

LANGLES

Voici nos troupes. Six régiments, c'est peu. L'artillerie, la cavalerie. Entre l'ennemi et nous, une rivière. Gardien de cellule, vous êtes la rivière. Que décidez-vous, mon général ? Les estafettes sont à vos ordres.

MANUEL

Il ne parlera pas.

LANGLES

Est-il général ? Le général ne parle pas, la bataille est perdue. S'il ne dit mot, il n'est pas digne d'être obéi. Et moi je le ferai crier... Que grognes-tu ?

MANUEL

Je suis la rivière. Je coule.

LANGLES

On ne peut pas l'atteindre, le toucher, le salir. N'est-ce pas ? Puisqu'il ne parle pas ! Il se retranche dans son bastion de silence. Quelle parodie de tactique !

MANUEL

Tout de même, il porte les galons.

LANGLES

Coulez, rivière !... Je fais donner le centre, avec mesure. Feux de peloton sur toute la ligne. L'ennemi enhardi passe le gué. Voilà. Mon centre recule en bon ordre. Je concentre mon artillerie sur la droite. Mon aile droite contourne le champ de bataille, elle rejoint mon aile gauche. L'ennemi est pris entre mes canons et les troupes fraîches. Mon centre reprend l'offensive. L'ennemi est culbuté dans la rivière !

MANUEL

Aïe !

LANGLES

Victoire, victoire !

Amyot entre. Il regarde Toussaint, puis Langles.

AMYOT

Je crois, monsieur, que vous salissez votre uniforme.

Langles ramasse les bûches, jusque sous Manuel.

LANGLES, *à Manuel.*

Vous permettez ?

Il sort, suivi d'Amyot.

MANUEL

Je n'aime pas ce capitaine. Pas du tout, Domingue, pas du tout. Je ne te dis que ça.

Manuel sort. Delgrès se penche vers Toussaint.

DELGRÈS

Général Toussaint...

TOUSSAINT

Ne me plaignez pas, Delgrès. Ah ! Mais j'envie votre poudrière. Voilà, j'ai balayé Rigaud et ses prétentions perruquées. Alors, mes ombres ? Vous étiez là six à me harceler, que me reste-t-il ? Un, l'honneur. Deux, la race. Trois, la liberté. Quatre, l'inconnu, le mystère. Le compte y est. Pour cette nuit encore, elles tiendront sur l'arbre, mes quatre feuilles de mort. Car ils n'ont pas fini avec leurs reproches, les campagnons. Ils me feront descendre jusqu'au fond le morne qu'on ne remonte pas. Oui, c'était bien parler, Macaïa : depuis le premier jour cette prison m'attend. Et moi, dans tout ce bouleversement que vous me portez, sans connaître où est hier et où demain, je continue.

Madame Toussaint entre en avant à gauche. Elle est solitaire et désemparée.

MADAME TOUSSAINT

J'ai demandé partout : « Savez-vous où se trouve Toussaint-Louverture, qui est né sur l'Habitation Bréda ? »

TOUSSAINT

Alors, dans la prison, amis, ennemis, les voici qui envahissent le cercle. Ils s'entassent. Je suis le mitan.

On entend au loin la mélopée des travailleurs. La scène s'efface à mesure.

MADAME TOUSSAINT

C'était le gouverneur de Saint-Domingue, mais c'était mon mari aussi. Je le cherche, monsieur... Et on me répond : « Toussaint, quel Toussaint ? Nous ne connaissons pas. »

TOUSSAINT

Où que je me tourne, les bras sont tendus, les voix accusent.

MADAME TOUSSAINT

Ah ! S'il est mort, je vous prie, dites-le-moi. Depuis le premier jour il est comme mort pour moi. Je suis habituée, ne craignez pas de me faire de la peine. Je le voyais assis dans son grand fauteuil doré, mon cœur se serrait, je pensais : « C'est comme si on l'avait exposé... »

TOUSSAINT

Tu voyais loin, Macaïa. Les travaux, les victoires et les conquêtes, pour finir dans la nuit d'un cachot. Car je mène ici un triste carnaval. Toute cette force, la patience, les calculs, l'assaut de mon peuple, son cri, tout cela qui va pour mourir ici avec la dernière chaleur du feu. C'est ma logique, Macaïa, tu peux la prendre dans ta main. Et si tu demandes : « Pourquoi ? » – la bouche ouverte et les yeux blancs –, je répondrai aussitôt : « Parce qu'un nommé Brunet m'invita dans sa maison afin de mieux me trahir ; parce qu'un capitaine de garnison pleure ici sur la médiocrité de son âme ; et parce qu'un général d'opérette est pressé de retrouver Paris, ses travestis et ses parades. »

Au-dehors, le rire de Granville. Le feu dans la cheminée et la lampe sur la table s'éteignent peu à peu. Mélopée des tam-tams.

LE PEUPLE

Le feu s'est éteint. Une nuit a passé, et encore une matinée. La lumière grise tombe à nouveau de la lucarne. En avant de la cellule, une très grande table de délibérations. Des objets précieux, des candélabres, des dorures. Des valets disposent la grande table. Brillante assemblée de notables. Désortils, Granville, les lieutenants de Toussaint. Éclatant témoignage de la splendeur de celui-ci.

I

TOUSSAINT, *il semble être assis au haut bout.*

Et regardez au plus loin ! Pas une menace. Regardez le pays. Tranquille comme du bon lait. Regardez la terre. Elle est toute verte !

DÉSORTILS

Honneur, honneur, monsieur ! Le Conseil central soumet à votre approbation le Décret des cultures et la Constitution.

TOUSSAINT

Nous sommes ici pour servir le Bien public.

DÉSORTILS

Première ordonnance : établissement de la carte de sûreté.

TOUSSAINT

Belle invention, monsieur Désortils. Trop de personnes sont inactives. L'inaction est ennemie de la liberté. Seuls les travailleurs auront droit à la carte.

DÉSORTILS

Tout individu devra servir à son poste. Les manœuvres des champs seront consignées sur leurs habitations, sans licence d'en sortir, sauf passeport spécial et temporaire.

TOUSSAINT

Ajoutez que les officiers seront responsables de l'ordre public.

DÉSORTILS

C'est dans la lettre du Décret, monsieur le Gouverneur.

TOUSSAINT

Toute personne condamnée ou surprise sans sa carte de sûreté ira dans les champs.

DÉSORTILS

Les fuyards seront enchaînés et ainsi conduits au travail. Il ne sera pas toléré qu'un individu aille partout sans résidence fixe, ni qu'il demeure dans les villes sans justification. Par ordre du gouverneur à vie Toussaint-Louverture, légitime chef de Saint-Domingue.

TOUSSAINT

Il est normal que le commandant en chef réponde pour le salut de tous. Inutile de poursuivre, messieurs, je suis satisfait.

GRANVILLE

Et Bonaparte ?

TOUSSAINT

Taisez-vous. Granville.

GRANVILLE

Ce que je demande, on vous le demandera aussi, c'est l'échelon où intervient le représentant des Consuls ? Concédez-lui une apparence d'autorité. Voilà un bon conseil, Désortils.

TOUSSAINT

Le représentant des Consuls interviendra au niveau du gouverneur, avec lequel il s'entretiendra de toutes les questions.

DÉSORTILS

C'est raisonnable, en effet.

TOUSSAINT

Messieurs, la Constitution sera imprimée et promulguée. Nous enverrons un exemplaire à Paris. Saint-Domingue est entrée dans une ère nouvelle.

Ils sortent tous, après avoir salué.

MACAÏA, *il crie vers le fond de la cellule.*

Monsieur Libertat ! Monsieur Bayon-Libertat ! Revenez, tu peux revenir ! Ton cocher conduit sur la bonne route ! Est-ce qu'il y a une distance entre la cabane dans la mort et

93

la belle vie où tu couches tes frères ? Il n'y a pas de distance : tes frères passent avant d'être nés ! C'est Saint-Domingue aujourd'hui qui fait la lessive de la mort !... Pour nous baigner dans l'esclavage, aussitôt après qu'on l'essuyait sur notre peau. La sueur de l'esclavage que le gouverneur Toussaint taille sur vous pour servir de hardes ! La patience du travail, quand le travailleur porte des boulets. Il veut nous apprendre cela ! Pour cela nous avons vécu, nous sommes morts.

TOUSSAINT

Je ne suis pas mort. Désortils croit qu'il me fait agir, je le tourne dans ma main, je le pousse. Quand il me rend son salut, je vois sa nuque, je vois le sourire par-dessous. Macaïa. L'État est prospère, la sécurité totale. Il nous faut des récoltes pour monnayer les munitions. Il nous faut une armée.

MACAÏA

Une armée pour défendre les droits de Toussaint.

TOUSSAINT

Pour défendre la liberté générale.

MACAÏA

Toussaint Abréda, regarde en toi. Ce n'est plus Toussaint-Louverture général des révoltés ! Toute la récolte qui brûlait, elle a brûlé dans ta poitrine. Alors tu prends des mots de cendre pour parler à tes enfants. Qui peut te comprendre, Abréda ? La ruse et les détours ne t'ont pas mené jusqu'à nous. L'esclave ne te comprend pas, le travailleur affamé coule dans la forêt, il entend le tonnerre de Toussaint, il s'enfuit ! Depuis le temps où tu es monté sur les mornes, et depuis ce temps où tu es entré dans la prison, qu'as-tu fait de ton peuple ? Mais pourquoi dire : ton peuple ? Il ne reste rien de Toussaint, hormis le secret de sa pensée, enfermé dans sa tête de gouverneur.

Approchez. Mes ombres. *(Il rit.)* Après la guerre, j'entre dans l'absence et le froid de la terre. Le tombeau, c'est la neige sur le corps : allongé dans la boue de l'hiver, tu écoutes la neige, elle tombe sur ta figure. Vous avez froid, meso mbres. Comme moi, vous tremblez dans votre linge glacé. Comme moi vous palpez ce trou dans la poitrine, toute la gorge remplie de roches et de tessons. Approchez ! Votre éternité ne vous protège donc pas contre la mort d'ici ! Car si je tombe dans ma fosse du Jura, vous trépasserez vous aussi, une seconde fois. Autant que moi, vous sentez vos doigts racornir, votre voix qui est gelée dans la bouche, et l'écho qui est une muraille pour les mots derrière vous. Comme il fait froid, comme il fait froid ! C'est donc là le prix de ma vie et la récolte de votre mort ! Essayez de tomber ces murailles, vous serez impuissants ! Vous passez à travers la pierre, vous ne l'abattez pas. J'ai passé à travers Saint-Domingue, je ne l'ai pas élevée dans le ciel. Mais les fondations sont bâties : à Dessalines de construire ! Et vous, tremblant de froid comme le prisonnier du fort de Joux, vous récitez vos querelles au-devant d'un agonisant ! Tu demandes : « Où est le peuple ? » Dans mon cœur et dans ma pensée. C'est par lui que j'ai commencé. Il avance déjà dans le grand jour qui vient, il traverse ma nuit, moi je reste en arrière pour protéger son passage ! Comme il fait froid, Macaïa. Je vois ta peau bleuir. L'ombre que tu es souffre donc autant que moi, vivant déshérité ? Mais la différence est que j'ai accepté de venir, tout noir dans le linge blanc de cette montagne. Vous, vous n'êtes ici que pour la raison que j'y suis.

MACAÏA

Alors, mange, soutiens-toi, mange donc, ton pain n'est plus le nôtre !

MACKANDAL, *se penchant sur le plateau.*

On raconte qu'ils furent dans le temps d'assez bons empoisonneurs.

MACAÏA

Parole de connaisseur ! Regardez, Mackandal qui vérifie ta nourriture, gouverneur !

MACKANDAL

Allez ! Ils ont perdu les secrets.

MACAÏA

Mange, citoyen, mange. Respire la bonne cuisine de tes alliés. Leur plat est tout plein, tout bon ! Même notre quimboiseur Mackandal te le dit.

La cellule est dans l'ombre. La table en avant est éclairée. Dessalines entre, pensif. On lui sert à manger. Toussaint, dans son fauteuil, grignote un morceau de pain.

II

DESSALINES

Aucune menace ? Je sens les bateaux qui arrivent. Je les vois, je les sens, avant qu'ils dépassent l'horizon.

TOUSSAINT

Crains-tu les bateaux de Bonaparte ?

DESSALINES

Vous protégez les colons, mais pour eux vous êtes égorgeur des Blancs ! Vous traitez avec les consuls, et le premier d'entre eux rassemble dans les ports de France une flotte pour vous attaquer ! Il vous écrit que vous êtes l'un des citoyens les plus illustres de la plus grande nation au monde, pourtant les ordonnances sont déjà signées pour notre fin à tous. Ils reviendront, ils reviendront ! Avant que leurs enfants consentent à l'égalité générale, combien de crimes ! Combien de trahisons parmi nous.

TOUSSAINT

Une armée, une flotte, Dessalines ! Nous délivrerons nos frères d'Afrique. Pense à ce grand pays des deux côtés de l'Océan. Comme les deux plateaux d'une balance, pour le droit et la justice. Si la Révolution avait triomphé en France ! Car Robespierre nous aurait aidés. Pense à cela. L'Afrique libérée et Saint-Domingue sans péril !

DESSALINES

Ne comptons que sur notre force, ah ! ne te prends pas dans leurs grands mots !

TOUSSAINT

La première guerre contre les Anglais et les colons, pour la liberté ; la deuxième contre Rigaud, pour l'unité ; la troisième contre les Espagnols, pour la sécurité. Voilà ma vie.

DESSALINES

Et la quatrième contre Bonaparte, pour accomplir ta destinée.

TOUSSAINT

Alors pour vous le travail commencera.

DESSALINES

Et qui donc ? Christophe, un ambitieux qui profite de votre ombre.

TOUSSAINT

Libère-le de Toussaint, il fera des prodiges.

DESSALINES

Moyse, un exalté, occupé à flatter les populations.

TOUSSAINT

Moyse a bu le lait de la révolution.

DESSALINES

Bélair, l'ami des Blancs, qui a mis trop de lait dans son café.

TOUSSAINT

Il est juste, nous n'avons pas trop d'hommes justes.

DESSALINES

Clairveaux, monsieur Clairveaux, devant son miroir il fait le beau galant.

TOUSSAINT

Bon. L'éclat de Clairveaux nous portera félicité.

DESSALINES

Enfin, les chefs des marrons : des brigands. Faites le compte.

TOUSSAINT

Il faut que ma force soit atteinte pour que tu oses parler de la sorte.

DESSALINES

Faites le compte. À la table du dernier repas, qui restera-t-il ?

TOUSSAINT, *très doux.*

Il restera Dessalines.

DESSALINES

Papa Toussaint, désignez votre successeur.

TOUSSAINT

Me voilà bon trépassé. Mais l'onction que tu me portes, je m'en passerais volontiers, mon fils. Le peuple est mon successeur.

DESSALINES

Appelle celui qui commandera. L'homme qui reprendra le fusil.

TOUSSAINT

Le fusil et la houe ; n'oublie pas la houe ! Trouve un soldat qui laboure, qui récolte. Voyons, Christophe ne rêve que palais, Clairveaux ne voit que plumes et galons, Bélair doit se consacrer à sa jeune épouse, et Dessalines est trop amateur de guerres. Un soldat cultivateur, avoue-le, il n'y a que Moyse. N'es-tu pas de mon avis ? Le général Moyse est populaire, les travailleurs l'acclament, c'est l'homme de mon testament. Qu'on fasse venir Moyse !

> *Dessalines se lève brusquement et sort. Grands rires dans l'ombre derrière Toussaint. Moyse avance, poussé par Macaïa.*

MACKANDAL, *il rit.*

Il demande le général Moyse.

MACAÏA, *il rit.*

Le général Moyse est défunt !

MACKANDAL, *il rit.*

Le général Moyse est défunt, ô Toussaint ! *(Très calme.)*
Tu l'as exécuté sans l'avoir entendu.

MOYSE

Cent fois je les menai à la victoire. Mes soldats. Ils
demandaient : « Pourquoi notre commandant veut-il que
nous tirions sur Moyse ? Moyse n'est-il pas le premier après
Toussaint ? Le premier en courage et en amour pour la
vérité ? » Je me taisais, Gouverneur, pour ne pas accuser
l'injustice. Et comme ils pleuraient doucement, je leur ai
crié : « Feu, mes amis ! » Comme si nous attaquions tous
ensemble la mort, et que nous pointions une rafale avant de
brandir les sabres et les coutelas.

TOUSSAINT, *sans le regarder.*

Est-ce le soldat, le héros que j'ai connu et protégé ?
Dirait-on pas la voix d'un assassin, d'un rebelle ?

Les notables rentrent, avec Dessalines. Madame
Toussaint, Désortils, etc.

DÉSORTILS

Assassin. Rebelle. Inutile de le faire comparaître ici. Un
tribunal très justement l'a condamné.

TOUSSAINT

Quel est le crime ?

DÉSORTILS

Incitation à l'anarchie. Massacre de paisibles colons.

TOUSSAINT

La preuve ?

DÉSORTILS

Les assassins criaient partout : « Vive Moyse ! »

TOUSSAINT

La sentence ?

DÉSORTILS

La sentence est la mort.

TOUSSAINT

Le tribunal est tout-puissant.

Madame Toussaint sort de la foule et se jette aux pieds de son mari.

MADAME TOUSSAINT

Ô mon époux, épargne le sang de ton neveu.

TOUSSAINT

Voici même que les femmes s'occupent des affaires publiques.

MADAME TOUSSAINT

Général Dessalines, intercédez pour votre frère d'armes.

DESSALINES

C'est la loi, maman Toussaint, la loi.

MADAME TOUSSAINT

Ne prends pas ce sang-là sur ta tête, mon époux. Ce sang-là ne pousse pas comme la canne ou le manioc. C'est la sueur du désert et le pays de la calamité sur ta tête.

TOUSSAINT

Promesse de vie sauve aux émigrés qui reviennent ! Je ne renierai pas ma parole. Tout général qui favorise les troubles dans son département est un traître. Je vous le dis, le général Moyse a failli à son devoir. *(Il regarde sa femme penchée vers le sol.)* Que cherchez-vous ?

MADAME TOUSSAINT

L'amour et la charité. Je cherche la pitié, les larmes, la tendresse. Mais c'est comme un marais de sel avec des bêtes, ô Toussaint !

TOUSSAINT

Finissons-en. Allez. Qu'on exécute la sentence !

Ils sortent tous. La lumière s'éteint sur la grande table et sur l'avant-scène pour revenir sur Moyse, debout derrière Toussaint.

MOYSE

Je cherche le peuple. Vous dites : « Le peuple », je dis : « Les malheureux. » Vous dites : « Le peuple », avec des airs républicains ; je vois les sarcleurs, les coupeurs, les amarreurs, dans les sacs de toile, la tête qui tourne sous le soleil, la canne et la sueur, j'étais le général des travailleurs. Ils criaient : « Vive Moyse ! » ils écoutaient ce soldat qui s'inquiétait de leurs misères. Pourquoi ai-je donné la main pour les opprimer ? Cela ne m'a servi de rien, le fusilleur est fusillé. Vous dites : « Le peuple », moi je crie : « Les misérables ! » Ils sont là, ils n'attendent qu'un signal, et je les rejoins à mon tour. La République nous nommait gouverneur ou général. Pourquoi, pourquoi ? Dans l'épaulette de l'officier tournoyait un miroir aveugle, nous nous sommes noyés dedans. Mais le galon est terni, mes yeux sont ouverts maintenant sur la mort sans éclat. Ils sont là, général Toussaint, derrière le mur. Ceux que vous appelez le peuple et qui criaient : « Vive Moyse ! » Moi j'étais votre successeur, aujourd'hui je vous précède jusqu'à leur troupe. Car vous qui les avez fait tuer, vous serez leur général dans l'éternité.

Il traverse le mur au fond de la cellule.

TOUSSAINT

Tu te réservais donc pour ce discours ? Va dans ton éternité. Va ! Tu emportes avec toi au moins ce morceau de Toussaint qui appartenait à Moyse, puisque j'ai fait tuer Moyse ! Eh bien, je ne te regrette pas

III

LANGLES, *il entre, chargé d'objets divers.*

L'écritoire... La plume... Le papier.

MANUEL, *il suit Langles.*

Il apparaît que vous méditez un ouvrage, capitaine.

LANGLES

Oh ! Oh ! Beau langage, maître Manuel. Je ne médite rien, cet attirail est pour notre taciturne.

MANUEL

Interdit. Formel. Il ne doit rien lire.

LANGLES

Puisqu'il ne parle pas, il écrira. Écrivez. *(Il dicte, tournant autour de Toussaint immobile.)*
« À Son Excellence le général Bonaparte.
Citoyen général,
L'humble prisonnier que je suis ne peut que deviner l'élancement de vos surhumaines conceptions. Nonobstant,

et du fond de mon obscurité, je crois prévoir que vous aurez grand besoin d'âmes vaillantes, de bras vigoureux. S'il se confirme que vous tenez projet de rassembler vos braves autour de Boulogne, à la fin légitime de soumettre la perfide Albion, je prétends vous assurer que nul en cette circonstance ne vous servira d'un cœur plus altier que le capitaine Philippe-Ludovic Langles, présentement en garnison au fort de Joux.

Je vous supplie de considérer que ce vaillant officier, maintenu par injustice dans une situation indigne de son courage, mérite plus que tout autre le droit de conquérir la gloire dans votre ombre. »

MANUEL

Je ne comprends pas.

LANGLES

Ce vaillant me recommande à Bonaparte.

MANUEL

Le papier est intact.

LANGLES

Triple buse !... Je gage qu'il ne sait pas ! Il plongera les doigts dans l'encre et se grattera l'oreille avec la plume. Va, j'en tiens le pari.

MANUEL

Ce n'est pas bien, monsieur.

LANGLES

Bon, bon... Je n'irai pas à Boulogne... Il ne m'aura servi de rien, ton héros.

Le général Caffarelli entre dans la cellule. Langles salue et sort, suivi de Manuel. Caffarelli étale une carie sur la table. Il tourne autour de Toussaint.

CAFFARELLI

Nos rapports attestent qu'une section de huit soldats fut par vous chargée d'enfouir un trésor incalculable, le fruit de vos rapines. Vous fîtes massacrer ces hommes pour garder votre secret. Montrez-moi l'endroit sur la carte.

TOUSSAINT

Fouillez Saint-Domingue. Fouillez la terre pendant les siècles des siècles, Caffarelli. Ce trésor n'existe que par votre désir, et dans votre cœur. C'est là le dernier mot que vous entendrez de ma bouche.

CAFFARELLI

Votre dissimulation ne sera donc vaincue par aucun sentiment. Si vous appelez maintenant, nous ne répondrons pas. Vous avez fixé votre sort. Vous vous êtes enterré sous l'amas de votre inutile trésor.

Il sort.

MACAÏA, *en mélopée.*

Ho papa Toussin an sou farinn franse dé sou lan mori
I vini mangé ven di ayin-sa ac boyo poisson
Ho général ou désaltéré dan bari san fon
Gibié di Dié té ka niché an lan min douett-ou,
E dan cervell-ou nou ouè la victoi ki té ka lévé
Jòdi ki jòdi ou pli an ba feill ki balan dan ven
Sous l'amas de votre inutile trésor.

Nou pa conprenn-ou, crié-ou té tro loin
Ou fè canmarad épi lé Séza é lé Zalexand
Tou lé bon matin ou té ka mangé sa yo té ka di-ou

San désanparé i té ka goumin pou la libèté
Mé zoreill-li fèb é yo ni la voi pou trapé la foi
Jòdi ki jòdi aye drivé tou sel san an sel solda
Sous l'amas de votre inutile trésor.

Couri vini couri descenn nom kon fanm
Manmaill milé baté milé-savann couté chanté Toussin
Ouap lan min-ye lévé ouap zéclè tonbé i pa pè lan mò
Mé lan mò vini assou siss parol
Jòdi ki jòdi i lévé lan min-ye soleye pa lévé
Yo trapé-ou pa mo yo min-nin-ou isi yo téré-ou vivan
Sous l'amas de votre inutile trésor.

(Papa Toussaint, un sou de farine, deux sous de morue
Il a mangé l'air du rien-du-tout et les poissons crus
Ô général, tu avais bu baril sans fond
La pureté avait couché dans ta main droite
Pour ta cervelle, il y dormait cent trois victoires
Mais aujourd'hui va-t'en errant sans un grenadier
Sous l'amas de votre inutile trésor.

Accourez descendez les femmes et les enfants
Les hommes, les mulets, accourez, voici sa chanson
Il levait la main pour garrotter les nuages
Sans peur sans épée les mots l'ont tué tout droit sans bouger
Aujourd'hui sa main fouille un soleil mort
Ils t'ont décidé ils t'ont amené ils t'ont enfoui
Sous l'amas de votre inutile trésor.)

La lumière baisse dans la cellule. Granville et les colons entrent.

GRANVILLE

Les requins remontent au jour.

PASCAL

Les morues gagneraient à frayer au large.

BLÉNIL

Enfin. Nous rétablirons les lois, nous en finirons avec cette barbarie.

GRANVILLE

Et comment, s'il vous plaît ? Avez-vous pacte avec les fantômes ?

DÉSORTILS

Granville, cessez de narguer. Nous jouâmes la partie comme il convenait, vous et moi. Ces messieurs reconnaîtront l'utile de nos fonctions sous le régime de Toussaint.

BLÉNIL

Nous vous en donnons quittance, monsieur.

GRANVILLE

Serais-je admis au secret des Seigneurs ? Chaque jour, depuis cinq ans, le vent nous porte le bruit d'un corps expéditionnaire.

PASCAL

Informations défaillantes, monsieur le Secrétaire. Venez, venez, il suffira que vous leviez la tête.

Ils emmènent Granville sur une hauteur.

PASCAL

Voici les fantômes. Tout en croiseurs d'escadre et en transports de troupes. N'est-ce pas émouvant ?

GRANVILLE

Hélas, votre action est sans remède.

DÉSORTILS

Comptez les vaisseaux ! Allons ! Le temps des Conseils est révolu, débusquons la bête.

> *On entend un coup de canon qui répercute long-temps.*

PASCAL

Ce que vous entendez là, ce n'est point l'harmonie des archanges ni l'aboi des démons, c'est le premier coup de semonce porté par le canon du vaisseau amiral.

GRANVILLE

Messieurs, pour vous c'est le bruit de la chute et le tonnerre du dernier jour.

> *La scène est toute dans la nuit. Tam-tams de guerre. La lumière revient sur Toussaint qui s'est porté très avant. Il est agité. Autour de lui, ses lieutenants. Dans un recoin on aperçoit un banc grossier.*

IV

TOUSSAINT

Ils sont trop nombreux, trop nombreux. Nous n'en viendrons jamais à bout ! Ah ! Consul scélérat, voici donc la dernière ligne ajoutée à tes lettres de flatteries et de mensonges ! C'est ainsi que tu prononces l'amitié, de l'autre côté de l'océan, et l'écho ici en résonne comme une malédiction. Tu viens ravager ma terre et asservir mon peuple.

MACKANDAL, *du fond de l'ombre.*

Il vient te conduire à ton trône.

CHRISTOPHE

Quels sont les ordres, commandant ? Le temps presse !

TOUSSAINT

Résistance ! Bélair. Maurepas, Clairveaux, vous attaquez sans répit. Christophe, tu tiens le Cap. L'ordre est de brûler la ville s'ils débarquent. Dessalines, tu organises l'intérieur. *Les généraux sortent. Toussaint est seul avec sa garde.*

MACKANDAL, *il avance derrière les soldats.*

Il vient te prendre par la main et te conduire à ce fauteuil d'où nul ne se relève.

TOUSSAINT, *sans le regarder.*

Mackandal, Mackandal. Tu vois dans la nuit, que vois-tu sur ma tête ?

MACKANDAL

Toussaint redoute-t-il le sort des armes ? La peur est-elle entrée dans son cœur ?

TOUSSAINT

Sacré houngan, qui ne sait pas reconnaître la peur. Je ne crains pas les armées de Bonaparte, je cherche la loyauté sur le visage de mes compagnons !

MACKANDAL

Hélas, ils te trahiront.

TOUSSAINT

Ni Bélair ni Dessalines ! Tu ne m'enlèveras pas ces deux-là.

MACKANDAL

Bélair mourra. Et le dernier, Dessalines te quittera.

TOUSSAINT

Mackandal. Ne pouvons-nous pas réclamer contre tes pouvoirs ? Je ne verrai plus les récoltes pousser sous le soleil. Ils ravageront le fruit de mon travail.

Le bruit des combats augmente. Dessalines entre.

DESSALINES

Plus vite, papa Toussaint !

TOUSSAINT

Ah ! La terre souffrira !

DESSALINES

Nos beaux officiers envoient les soldats à la mort. Coupons court à la démission ! Quand je châtiais les traîtres, chacun criait : « Dessalines, assassin ! » Aujourd'hui nous payons l'indulgence.

TOUSSAINT

Écoute, Dessalines. La saison des pluies viendra bientôt. Nous les battrons, jusque-là. Et quand le ciel tombera en eau sur la terre, nous les exterminerons.

DESSALINES

Au revoir, général. Jusqu'à la victoire !

Il sort.

MACKANDAL

Jusqu'au dernier terrain de la chute. Je vois le banc qui sera ton trône, je vois le fauteuil où ton sabre est lié. Tu marches dans la cendre vers ce repos.

Granville entre.

TOUSSAINT

Nous reculons, Granville. Nous vidons l'espace devant l'ennemi. L'espace l'engloutit.

MACKANDAL

Attends. Tu es debout dans la Ravine à Couleuvres, préparant ta défense. Mais ton ombre porte déjà sur ce banc. Voici ton premier pas vers la chute, le voici qui arrive.

Dessalines et Christophe entrent.

DESSALINES

Nous les tenons partout !

CHRISTOPHE

Le Cap est anéanti. Dans les ruines et la cendre, ils tombent sous les coups de la famine et de la maladie. La victoire est là !

UN OFFICIER, *il entre.*

Arrêtez !... L'infâme Agé a livré Port-Républicain, malgré le brave Lamartinière.

Rugissement de Dessalines.

MACKANDAL

Ce n'est rien, ce n'est rien encore.

UN OFFICIER, *il entre.*

Mon général, Clairveaux s'est rendu avec son armée. Ils le persuadent qu'ils viennent défendre la liberté. Clairveaux est notre ennemi à ce jour.

TOUSSAINT

Reculez en ordre ! Il faut reculer... *(Il se tourne vers les ombres.)* C'est le premier pas, Mackandal.

Ils reculent tous. Entrent Pascal, Désortils, accompagnés de soldats de l'expédition.

PASCAL

Quel plaisir. Enfin, enfin.

DÉSORTILS

Ne chantons pas trop vite, mon cher.

PASCAL

Quoi ? Ils reculent partout ! Clairveaux, c'est le commencement. Les autres suivront. Ne faiblissons pas, Désortils. Et pas de prisonniers ! Ils ne comprennent que le fouet et le fusil.

DÉSORTILS

Croyez-vous ? Ils meurent dans les flammes, ils périssent sous la torture, sans un cri.

PASCAL

Bah ! Ils ne ressentent pas la douleur. Cela tient à la conformation de leurs muscles. Ne faiblissons pas, Désortils.

Ils sortent. Les généraux de Toussaint vont vers lui.

DESSALINES

Jamais plus je ne ferai confiance à un Blanc ! Ah ! Mes amis, nous sommes coupables envers le public. Il attendait moins de vaillance et un regard plus vigilant !

TOUSSAINT, *il les rejoint.*

Messieurs, n'oubliez pas qu'en attendant la saison des pluies qui nous débarrassera des ennemis, nous n'avons d'autre ressource que la destruction et le feu. Pénétrez-vous bien de l'idée que le sol trempé de notre sueur ne doit pas fournir à l'envahisseur la moindre subsistance. Que vos balles rendent les routes impraticables, jetez les cadavres dans les puits, incendiez et anéantissez, afin que ceux qui sont venus pour nous réduire à l'esclavage aient devant eux l'image de cet enfer qu'ils méritent.

CHRISTOPHE

J'attaquerai par les crêtes.

TOUSSAINT

Non, non. Évitez les engagements d'importance, anéantissez les avant-postes. Brûlez partout. Nous attendons septembre.

Des soldats de Leclerc entrent avec des flambeaux. Ils brisent la grande table de délibérations, les objets précieux, les dorures qui sont au centre. Le bruit des combats augmente.

TOUSSAINT

Dessalines, la campagne dépendra de toi. Tu tiens la Crête-à-Pierrot. Tu te fais tuer sur place, tu ne recules pas. Nous organiserons le pays derrière eux.

Dessalines sort.

MACKANDAL

Il se défend, il s'acharne, toise après toise. Pourtant, il avance vers ce banc.

TOUSSAINT, *tourné vers les trois statues.*

C'est votre domaine, mes ombres. La mort et les ravages ! Guettez encore ! Vous verrez si je faiblis devant vous.

CHRISTOPHE, *il s'approche.*

Adieu, papa Toussaint.

TOUSSAINT

Christophe. Je sais qu'ils te proposent leur alliance, comme à Clairveaux. Me quitteras-tu, toi aussi ?

CHRISTOPHE

Jamais je ne consentirai à parlementer !

TOUSSAINT

Les mots sont une arme efficace, mon cher général. Reçois-les, rapporte-moi tes conversations. C'est un ordre.

Christophe sort.

MACKANDAL

Et pourtant nous guettons, oui, le deuxième pas.

TOUSSAINT, *aux soldats qui passent.*

Courage, mes amis ! Ne craignez pas l'action de nos adversaires. Leurs os seront dispersés dans les montagnes et les rochers, leurs corps seront ballottés par les vagues de la mer !... Ils ne reverront jamais leur pays. Et la liberté régnera au-dessus de leurs tombes !...

MACAÏA, *il avance.*

Le peuple... Le voici ! Jeannot, Sylla, Camise, Macaïa. Ceux que tu appelais des assassins, des sauvages. Tu connais leurs noms. Gingembre-trop-fort et Mavougou, Sans-Souci et Va-Malheureux. Leurs noms parlent pour eux. Ils sont l'armée de Toussaint. Voici les Dokos, qui ne vivent que dans la forêt. Le peuple vient cueillir la victoire. Si Toussaint est résolu, nous nous baignerons dans la mer au grand soleil !

TOUSSAINT

Que font les Mulâtres ? N'ont-ils pas compris que nos ennemis sont leurs ennemis ? Rigaud est revenu dans les bagages des Français, Mais la victoire est trop lente, au gré de ses maîtres. On dit qu'ils l'ont déporté, sans doute pour le punir de ma résistance. L'heure n'est-elle pas venue de nous réconcilier entre nous ?

UN OFFICIER, *il entre.*

Le général Maurepas, le vainqueur des Trois-Rivières, s'est rendu à l'armée française. Trois mille hommes sont avec lui.

MACKANDAL

Le deuxième. Toussaint, le deuxième.

DESSALINES

Retirons-nous dans les forêts !

TOUSSAINT, *il recule.*

Ma destinée est là, dans la nuit des feuillages.

MACKANDAL

Chante avec eux, ton temps est terminé !... Car voici le troisième pas, il arrive comme la foudre.

UN OFFICIER, *il entre.*

Général Toussaint. Christophe s'est rallié à l'armée des Consuls.

TOUSSAINT

Mackandal, Mackandal. Tu es implacable, vieux sorcier... Mais je ne verrai pas Bélair et Dessalines dans la trahison ! Ma terre souffre, moi je dois l'épargner. C'est assez, arrêtons le fil qui se dévide. Granville, faites dire que j'accepte de discuter la trêve.

> *Granville sort. Toussaint recule jusqu'au banc. La nuit est totale. Le tam-tam résonne. Les soldats entrent. Dessalines à leur tête.*

TOUSSAINT

Dessalines, déposez les armes. La liberté est sauve, l'armée est debout. Ce qu'ils obtiennent, c'est cela : que je me retire. Eh bien, je me retire volontiers.

DESSALINES

Rien n'est perdu, papa Toussaint. Attendons notre heure !

TOUSSAINT

Mes enfants, il faut nous séparer.

Toussaint se lève, il embrasse Dessalines et les officiers. Il serre les mains des dragons de sa garde. Les soldats et leurs chefs sortent. Toussaint se dirige lentement vers le fauteuil au centre de la cellule.

TOUSSAINT

Le dernier pas, Mackandal, le dernier.

MACKANDAL

Et le dernier trône, Toussaint. Il ne resplendit pas comme l'écorce du filao.

TOUSSAINT

Mais ta prédiction fut imparfaite ! Bélair est vivant, Dessalines est debout. Saint-Domingue respire avant de reprendre la route.

MACKANDAL

Il y a un degré à descendre encore. Il y a un sabre qui attend d'être brisé. La mort et la trahison boivent dans ton ombre ! Il y a la mer stérile, qui attend de te porter.

Macaïa avance. On entend Manuel au-dehors : il chante un triste refrain du Piémont.

V

MACAÏA

Regarde la rage m'étouffer de fièvres Il faut patienter, hein, faire la ruse, comprendre le monde et les nécessités ? Il faut signer les traités, accorder les bénéfices. La prospérité, Macaïa ! Toussaint est la lumière de Saint-Domingue. Il calcule notre bagage dans sa tête, le bonheur, la richesse. Mais nous roulons depuis les hauteurs pour Toussaint, nous voici avec lui, assis dans la honte et la servitude ! Je vais pour te déraciner, depuis la souche jusqu'au dernier cheveu !

Il brandit son coutelas.

TOUSSAINT

Frappe. Je ne te crains pas. Si ton apparence est réelle, et ton coutelas aussi, comment es-tu parvenu jusqu'ici ? Ou si tu es l'ombre de ce que tu fus, alors ton arme est devenue aussi vaine que tes paroles, et aussi faible que ton bras de fantôme.

MACAÏA

Mais donnez-moi la force et la vie, pour un seul geste, pour un seul moment ! Écoute. Tu entendras comment je suis tombé dans la ravine de la mort. Parce que ce fut ton œuvre, Gouverneur.

TOUSSAINT

Le temps est donc venu pour Macaïa de regagner sa plantation sans récoltes. C'est à Macaïa de partir. Commence, camarade. Je ne t'empêcherai pas de réciter ta fin ; vous êtes ici pour m'abattre par votre mort.

MACAÏA

Écoute, j'ai quitté Saint-Domingue par la gueule d'un chien.

TOUSSAINT

Un chien.

MACAÏA

Des dogues. Dans un cirque ; avec des dames, de beaux officiers, des éventails, je respirais les parfums, je voyais les rires ; et j'entendais les raclements des bêtes contre la palissade.

TOUSSAINT

Arrête, Macaïa. Nous avons mené le même combat.

MACAÏA

Ils ont ouvert la barrière, les rires se sont arrêtés. Tu les connais, ces chiens qui ne mangeaient que notre chair. Et voilà, ils n'avaient pas faim, ils me reniflaient, attaché au poteau. Ils avaient trop dévoré, les derniers temps. Pour eux, l'époque était à l'abondance.

TOUSSAINT

Ah ! Tu te venges bien, chef des Dokos.

MACAÏA

Je pensais à toi. Toussaint, qui nous donnas jadis la victoire, pour ensuite nous abandonner. Écoute. Ils ont retenu les chiens, le temps de me blesser au ventre. Un général, comme toi. Il riait. Le sang, tu comprends, le sang rouge devant les bêtes. Les spectateurs applaudissaient.

TOUSSAINT

Un jour, les hommes se connaîtront, ils pleureront les mêmes douleurs ! Aucun vivant n'a le privilège de la souffrance, les martyrs sont sur toute la terre semés comme la cendre des forêts.

MACAÏA

Mais aujourd'hui ! Aujourd'hui, aujourd'hui, aujourd'hui. Vois qu'ils profitent de toi. Ils plantent dans ton humanité l'arbre de leur pouvoir sans humanité. Accepte l'idée de générosité qu'ils proposent, ils grandissent pour t'écraser. Oh ! Alors, comme ils te méprisent de consentir !

TOUSSAINT

Va-t'en ! Ton travail est fait : je prends ma part de ta mort.

MACAÏA, *tourné vers Mackandal.*

Dis-lui qu'il nous trahissait, aussi sûrement que s'il avait ouvert la porte pour les chiens.

TOUSSAINT

Je crie à la fraternité humaine. Elle tournera bientôt sur la terre. Seigneur, pardonnez-moi mes mauvaises actions, car je luttais pour mon peuple.

MACAÏA

Dis-lui, tu vois dans l'espace et dans l'avenir. Dis-lui que Dessalines relèvera le sabre et dressera la liberté. Le Tigre ne porte aucun Seigneur dans sa tête ! Il me vengera de la mâchoire du dogue.

TOUSSAINT

Le pays est préservé de la ruine définitive, l'armée reste sous les armes. Comme il prenait la victoire dans ses mains, Toussaint prend la reddition sur ses épaules.

MACAÏA, *reculant vers le fond de la cellule.*

Viens, viens. Nous t'appelons. Tant qu'il y aura un Macaïa, la forêt n'est pas vide ; alors les grands mots tombent comme des mangues avortées ! Il y a toujours Macaïa dans la nuit et dans l'incendie !

Il disparaît au fond. Silence. Il semble qu'une fumée se lève : tout s'apaise et s'éclaircit. Christophe entre en avant.

VI

CHRISTOPHE

On conte que Christophe s'est rendu avec ses troupes, qu'il sacrifia ainsi la cause de ses frères. Christophe doit se défendre contre une telle accusation. On proclame que les lieutenants de Toussaint l'ont partout trahi. Moi, Christophe, je dois laver mon nom d'une telle infamie. Car Toussaint exigeait que je poursuive les pourparlers avec les généraux de Bonaparte. Il lisait leurs lettres, il dictait les réponses, il me soufflait tout bas les paroles que je prononçais à voix haute ; pendant qu'il allumait la guerre et qu'il conduisait la bataille, secrètement il ménageait les conditions de la paix. Il brûlait la terre, et chaque jour il pleurait de la brûler. Aucun d'entre nous ne pénétrait les intentions du général. Nous ne lui portions plus cette confiance aveugle que le fils témoigne à son père. Les populations, irritées par son gouvernement, n'auraient peut-être pas poursuivi jusqu'au bout l'effort de la bataille. Enfin, le capitaine général multipliait les proclamations, il affirmait que les libertés seraient préservées.

Sans doute n'avons-nous pas cru ces déclarations ? Nous savions bien qu'une si puissante armée ne se serait pas déplacée dans le seul but de nous garantir une liberté que nul ne menaçait. Mais nous choisissions de croire. Nous préférions ce mensonge, paré des séductions de la vérité, à l'ignorance où nous laissait notre chef. Que celui qui n'a pas conduit quinze années de guerre, les pieds dans la boue des mornes, la tête battue par les branches, le corps noué par la pluie et le vent, que celui-là vienne pour accuser. Si Toussaint nous avait admis dans ses conseils, nous aurions peut-être gardé la terre. Dessalines lui-même est à la fin venu pour débattre la paix. Christophe n'a pas trahi la cause du peuple.

Il sort. Au loin, mélopée des travailleurs. Granville entre et se dirige vers Toussaint.

VII

TOUSSAINT

Granville, venez, venez. Nous tiendrons à nous deux un grand Conseil dans le carême.

GRANVILLE

J'étais soucieux de vous saluer avant mon départ, général. Voici que je regarde derrière l'horizon et que j'envie les voyageurs.

TOUSSAINT

En Europe, vous serez suspect. En Amérique, on se souviendra que vous serviez le gouverneur de Saint-Domingue. Ici, le capitaine général vous surveille. Où pouvons-nous aller, monsieur Granville ?

GRANVILLE

Mais la population se tourne déjà vers vous, son père.

TOUSSAINT

Oui, le peuple ne me quitte pas. Hélas, je quitte mon peuple. Tant de sang et de souffrances. Tant de nuits à organiser, tant de jours à mener la guerre. Tenez, je rêve de mon jardin, mon jardin est surveillé. Ils craignent jusqu'au repos de Toussaint. *(Il rit doucement.)* Abréda qui gagne, contre Louverture ; vous l'aviez prédit. Toute cette énergie, pour à la fin cultiver une propriété ! Voilà le vieux Nègre enchaîné ; Granville est content.

GRANVILLE

Vous ai-je pas servi avec loyauté ?

TOUSSAINT

Avec loyauté, puisque vous ne pouviez déguiser votre trahison. Mais ce mot de trahison est trop amer, toute ma vie j'en ai goûté le fiel, sans qu'il soit desséché. Ce ne fut pas par trahison, monsieur Granville, mais comme par un réflexe qui vous laissait tout malheureux.

GRANVILLE

Ainsi ai-je toujours pensé que vous n'étiez pas dupe.

TOUSSAINT

Et ainsi êtes-vous le seul qui m'avez été fidèle. Il y avait un serment entre nous : de vous pour me trahir, et de moi pour le voir sans vous le reprocher. D'autres que vous, Granville, mes propres enfants, que j'ai formés, éduqués... Mais je suis satisfait, je les avais nourris pour qu'ils me quittent.

GRANVILLE

Dessalines feint d'obéir. Il pousse jusqu'à servir aux besognes de police. Ses projets sont vastes. On murmure qu'il ambitionne l'indépendance.

TOUSSAINT

Ce que veut Dessalines est loin au-delà de ma vie. Ce que veut Dessalines, je ne pouvais le vouloir. Il a besoin de moi. Il faut que j'appelle sa trahison, pour que sa trahison devienne fidélité. Il faut que j'accepte son ingratitude, afin qu'elle soit ma récompense. Il faut que je tombe encore, et qu'il m'oublie encore, pour que ma défaite allume sa victoire.

GRANVILLE

Gouverneur, ne risquez pas une folie.

TOUSSAINT

Ah ! c'est la première fois que vous conseillez la prudence !

GRANVILLE

Prenez le droit de vous reposer, à la fin.

TOUSSAINT

Ne me poussez pas, c'est inutile, je ne dirai rien. N'est-ce pas un amusement ? Tout au moment où nous nous confions sans détour, pour le premier jour, pour la première occasion où nous sommes en possession de dompter la méfiance dans notre cœur, eh bien, je vous cache mon projet le plus important. C'est parce que voilà ma suprême tactique, monsieur le Secrétaire. Et elle est tellement enracinée dans ma poitrine que je ne peux la dévoiler, même pas à vous qui connaissiez tout de mes plans et qui vouliez les faire échouer, en sachant que je le savais.

GRANVILLE

Écoutez, je ne vous apprends rien, le Capitaine général sera tenu de vous arrêter, il s'en est vanté auprès des Consuls. Si vous entreprenez, Gouverneur, entreprenez à coup sûr.

TOUSSAINT

Merci, merci. Mais ce qui inquiète le Capitaine général est cela même qui me sert. J'ai besoin de sa méfiance et non pas de sa confiance.

GRANVILLE

Quand vous reverrai-je, monsieur ?

TOUSSAINT

Je suis mort, Granville, véritablement mort, depuis ce jour où ma décision fut d'arrêter la lutte, de fermer les yeux. Mes yeux ne verront plus mon pays, mon pays a besoin de mon absence. Vous ne pouvez voir un absent, même si vos yeux voient Toussaint.

GRANVILLE

Adieu, Gouverneur.

TOUSSAINT

Allez, monsieur Granville, j'étais heureux de me mesurer avec vous.

GRANVILLE

Adieu, adieu, général.

Il sort. La mélopée de travailleurs s'éteint peu à peu.

TOUSSAINT, *vers les statues.*

Comme il fait froid. Comme il fait froid.

LES HÉROS

LES HÉROS

Toussaint est assis sur le banc. Madame Toussaint est près de lui, elle semble occupée à quelque besogne domestique. On aperçoit, au centre, les traces de la guerre. Bois noircis, décor saccagé de l'ancien faste du gouverneur. Peut-être remarque-t-on Manuel, dans la cellule du fond, qui débarrasse la petite table et époussette le chapeau à plumet du prisonnier.

I

MADAME TOUSSAINT

Si tu crois mon avis, tu n'iras pas chez ce général Brunet. Une frégate est retardée, elle doit voyager vers la France. Mais elle est là, plantée dans la baie, et les marins dorment dans les cabarets.

TOUSSAINT

Est-ce la première fois qu'un bateau est dérouté ? La cargaison est incomplète.

MADAME TOUSSAINT

Mon époux, les mots que tu emploies me font peur. Si Toussaint ne comprend pas qu'on doit l'arrêter sans éclat et le déporter aussitôt ; si Toussaint ne comprend pas qu'on ne peut l'arrêter chez lui, au milieu de ses amis ; si Toussaint ne comprend pas qu'en devenant un paisible campagnard il s'est rendu suspect, lui le soldat ; alors c'est que Toussaint ne veut pas comprendre. Et si Toussaint ne veut pas comprendre...

TOUSSAINT

Paix, ma femme. Les affaires de l'État ne me concernent plus.

MADAME TOUSSAINT, *douce.*

Alors, c'est que Toussaint veut me quitter.

TOUSSAINT

Que dis-tu là ? Voici la lettre du général Brunet que notre fils t'a lue. Brunet écrit : « Mon Cher Général », et il me demande de passer le voir pour un conseil qu'il sollicite, qu'il sollicite, oui, et il met à la fin : « Jamais vous ne trouverez d'ami plus sincère que moi. »

MADAME TOUSSAINT

J'irai avec vous. Ce Brunet m'invite, soyons polis.

TOUSSAINT

Non. Seul, je serai plus vite remis. Telle est ma volonté.

MADAME TOUSSAINT, *sans espoir.*

Emmenez nos deux garçons.

TOUSSAINT

Non, non. Leur place est auprès de vous. Et puis, je ne saurais faire croire à cet officier que je me méfie de son hospitalité.

MADAME TOUSSAINT

Combien de temps devrai-je attendre, Toussaint ?

TOUSSAINT

C'est à prévoir que ma délibération avec lui durera la matinée entière. Ainsi donc, soyez à vos occupations, sans autre souci.

MADAME TOUSSAINT

As-tu pensé qu'ils m'arrêteront aussi ?

TOUSSAINT

Réfléchis là-dessus. Qui oserait porter la main sur moi, quand nos troupes sont sous les armes ? Quand nos généraux sont à leurs postes ? Quand Bélair et Dessalines sont libres ?

MADAME TOUSSAINT

Mais tu seras déjà sur ce bateau et déjà dans une prison et déjà mort pour que Bélair et Dessalines lèvent la voix et appellent au combat.

TOUSSAINT

Bien. Je ne vais pas chez cet homme. Alors pense à notre existence. Ils me soupçonneront d'intrigue, ils seront persuadés que je complote contre l'ordre public.

Dessalines entre, il se tient en retrait.

MADAME TOUSSAINT

Toussaint, nous allons donc descendre la falaise et nous perdre jusqu'au fond.

TOUSSAINT

Tu descends dans le jardin, tu soignes les fleurs. N'est-ce pas un grand bonheur, général ? J'aime les roses, elles sont violentes. Prépare un bouquet pour mon retour.

MADAME TOUSSAINT

Tu disais que les fleurs étaient pour rayonner sur les branches, non pas pour flétrir dans un vase.

TOUSSAINT

Je disais que l'homme n'a pas fleuri pour être transporté comme une marchandise, ni acheté comme un cheval.

DESSALINES, *ouvrant sa chemise.*

Moins qu'un cheval, papa Toussaint. Tu ne peux pas vendre une bête qui porte des traces.

MADAME TOUSSAINT

Dessalines, empêchez-le. Moi je te supplie.

TOUSSAINT, *il les pousse.*

Va, va. Le soleil est déjà sur huit heures. Dessalines, au revoir.

> *Ils sortent. Toussaint, très droit, embrasse l'espace. Il traversera la scène de biais, jusqu'à ce fauteuil où son sabre est accroché.*

TOUSSAINT

Beaumont, ho ! Ennery... La plaine est dure à traverser quand elle est vide et morte. Ainsi, je verrai la mer à ma droite et la mer à ma gauche, partout solitaire et désarmée ?

Ho ! Morne à Cahots, Ravine des Désirés ! Hier j'ai conduit la charge, aujourd'hui les feuilles repoussent déjà. La souche de la vie est longue à déraciner. Ho ! Gonaïves, Chemin des Acacias, je quitte ma lumière, depuis Tiburon jusqu'aux Trois-Rivières ! Croix des Bouquets. Île Cayemite. Fond des Nègres. Pointe d'Acabou. Morne Rouge. Ramassés dans mon poing je vous élève, par-dessus l'exil et la solitude. Me voici parcourir la seconde diagonale, et ainsi achever l'X et la croix qui barrent mon chemin !... Eh bien, je suis là, Brunet. Allez dire à Brunet que Toussaint-Louverture attend. Brunet, es-tu digne de paraître dans cette action que tu entreprends ?

> *Il s'assied dans le fauteuil. Plusieurs officiers entrent, armés de pistolets et de sabres dégainés. Suit un colonel. C'est l'ancien aide de camp de Laveaux et de Toussaint. Ce dernier se dresse, il saisit le sabre accroché, depuis le début, au dossier.*

TOUSSAINT, *il dégaine.*

Ils veulent me tuer !

AIDE DE CAMP

Non, mon général. Nous avons mission de nous assurer de votre personne.

TOUSSAINT

Je veux voir Brunet.

AIDE DE CAMP

Le général Brunet est en tournée d'inspection.

TOUSSAINT, *il lui remet son sabre.*

Colonel, vous gagnez un autre galon.

AIDE DE CAMP

J'exécute les ordres, monsieur.

TOUSSAINT

En me renversant, vous n'avez abattu à Saint-Domingue que le tronc de l'arbre de la liberté ; il repoussera par les racines, parce qu'elles sont profondes et nombreuses.

Les officiers sortent en avant. Toussaint est prostré dans le fauteuil. Caffarelli entre dans la cellule avec Amyot et deux soldats qui portent des vêtements. Il s'adresse au prisonnier sans venir à sa hauteur.

II

CAFFARELLI

Êtes-vous enfin détourné de vos erreurs ?... Bien, bien. Vous n'avez nul droit, si ce n'est dans votre stupide orgueil, à l'uniforme d'officier de la République. Par décision des Consuls, toute marque vous en sera retirée.

Sur son ordre, les soldats défont l'écharpe et l'uniforme de Toussaint, ils lui passent une blouse de paysan.

MACKANDAL, *voix déclamatoire mais basse.*

« La Convention nationale déclare que les hommes armés dans la colonie de Saint-Domingue pour la défense de la République ont bien mérité de la Patrie. Réduits à leurs propres forces, isolés de tout secours, presque sans munitions, leur courage mis à toutes les épreuves n'a jamais été abattu. Ils ont lutté avec énergie, honneur, persévérance et succès contre les Espagnols et les Anglais. Le commandant

Toussaint-Louverture recevra le brevet de général de brigade... »

Les soldats enlèvent les bottes de Toussaint, ils le chaussent de sabots.

MACKANDAL, *même jeu.*

« Par arrêté du Directoire, le citoyen Toussaint-Louverture est nommé général de division. Il lui sera envoyé un sabre et une paire de pistolets de la manufacture de Versailles... »

Les soldats prennent le chapeau de Toussaint sur la table, ils cassent le plumet, arrachent le macaron. Toussaint se retourne, il monte vers le fond, il prend le chapeau et le laisse pendre à bout de bras.

MACKANDAL, *même jeu.*

« Le citoyen Toussaint-Louverture est nommé général en chef des armées de Saint-Domingue. Un plumet d'honneur lui sera envoyé... Les Consuls se plaisent à reconnaître les grands services qu'il a rendus au peuple français... »

Le prisonnier est debout devant son fauteuil. Amyot s'est détourné.

TOUSSAINT

Fallait-il ajouter cette humiliation à mon malheur ?

Caffarelli sort, les militaires le suivent. Manuel entre dans la cellule, portant la lampe pour la nuit.

MANUEL, *il allume la lampe.*

Je ne suis pas d'avis, je ne te dis que ça. Regarde, tu me fais penser aux garçons de chez nous. Il faut dire qu'ils prendraient la course en te voyant, dame, ils ne savent pas. Quand je raconterai le fort de Joux aux enfants, les vieux diront : « Manuel, tu es devenu un vrai Français, tu es le neveu de Bonaparte, tu veux nous aveugler. Un général tout noir, tout muet, dans une cellule, et qui ressemble à un gars du Piémont. Manuel, Manuel, le vin du retour est monté à ta tête. » Ah ! comme je me fâcherai ! Ils ne me croiront pas, je le sens déjà ! Par la Madone, c'est vrai de vrai ! Tout de même qu'il s'appelait Louverture et que moi je l'appelais Domingue ! Domingue, tu ne connais pas les vieux de chez nous, ils ne disent jamais oui, ils sont jaloux, ils n'ont pas quitté le village, ils font les importants... Domingue, tu ne connais pas la terre par là-bas...

Toussaint le regarde, mais il ne le remarque pas.

MANUEL

C'est tout vert et tout jaune en même temps. Tu frissonnes quand tu sors pour lever les pièges, tu n'as pas froid. Au-dessus des champs tu vois le brouillard, c'est comme du lait de feuilles, de la mousse bien battue, tu avances, elle fond. À côté, les peupliers, malingres, malingres, ils te font de la peine, ils n'ont rien pour les protéger, ils sont tout nus dans le vent. Tiens, au croisement il y avait le cimetière. Tout perdu dans l'herbe, derrière deux cyprès, tu n'as jamais rencontré des cyprès aussi grands, gonflés, tellement verts qu'ils sont noirs. C'est là que les morts se réunissent. Ne passe pas dans la nuit, Domingue, ils viennent rire sur ton épaule ! Tu cours, ferme les yeux, cours, tu marches dans la plaine sans arrêt, tu cries, l'air glacé te répond.

TOUSSAINT

Et tu montes sur la hauteur pour regarder la mer battre le sable.

MANUEL

Domingue !... Toussaint !... Il m'entendait. Il parle !

TOUSSAINT

Ton pays parle, ton pays chante, Manuel. Je l'écoutais dans ta voix.

MANUEL

Je suis content. Je suis content !

TOUSSAINT

Tu te retournes, c'est un bouleversement de la terre rouge, partout semée de fonds et de mornes. Les cannes sont jeunes, ton regard chavire, tu es noyé dans la tempête de branches, soudain tu lèves la tête, le soleil pèse sur tes pieds, tu vois qu'il est midi.

MANUEL

C'est un paysan, c'est un vrai paysan, je ne vous dis que ça ! Les mots brillent dans sa bouche, quand les sabots ont remplacé les bottes.

TOUSSAINT, *il est ailleurs.*

Il le fallait donc, Manuel ? Mais Macaïa est parti sans retour.

MANUEL

Hein ?... Macaïa ?...

TOUSSAINT

Et que leur dirai-je encore, dans le pays de la mort, si la glace d'ici ne les a pas convaincus ?

MANUEL

Seigneur ! Il perd la tête.

TOUSSAINT

De l'autre côté de ce mur, Manuel.

135

MANUEL

Eh bien, voyons, de l'autre côté, il y a le couloir, les douze marches avec les trois torches, le corps de garde, les sentinelles, ce fainéant de Baptiste qui ne veut jamais descendre jusqu'ici.

TOUSSAINT

Il y a une armée disposée pour la bataille, et une bouche qui crie éternellement : « En avant ! » Mais elle ne se referme jamais, jamais un grenadier ne bouge ! Il y a l'œil de Macaïa, les mains glacées de Maman Dio. Regarde, derrière la roche gluante, c'est le sable infini, la poussière qui ne salit pas. Ma couche est dressée, là-bas devant le front des troupes.

MANUEL

Oui, oui, calme-toi. Je les chasserai. Parlons d'autre chose. Dis, ne te fâche pas, toi, un général, tu ne sais pas écrire ?

TOUSSAINT, *il rit dans son délire.*

Mauvaise stratégie, soldat !... Je peux à peine écrire, ton capitaine le voyait bien. J'écris le mot « Toussaint », Macaïa se penche, il épelle « traître ». J'écris le mot « République », Mackandal devine « mensonge ». J'écris le mot « discipline » et Moyse, sans même jeter un regard sur la page, crie aussitôt « tyrannie ». J'écris le mot « prospérité », Dessalines s'éloigne, il pense dans son cœur « faiblesse ». Non. Je ne sais pas écrire, Manuel.

MANUEL

Le délire, la fièvre du Jura. Ces gens n'existent pas, Toussaint, ils n'existent pas.

Va derrière la muraille. Tu les trouveras, les vivants et les morts. Ceux qui m'attendent avec impatience, ceux qui ne m'attendent plus. Si tes yeux sont ouverts, tu les verras, les deux arbres, l'un dressé sur ma vie, c'est un filao, l'autre penché sur ma mort, c'est un cyprès. Va, Manuel, va. Tu toucheras la première défaite de Toussaint... Protège-toi contre les morts, ils sont plus rusés que nous !

Manuel, effaré, sort avec précaution.

MANUEL, *il crie.*

Il n'y a rien, je vous dis qu'il n'y a rien !

Toussaint est pris d'un accès de toux. Le général Laveaux entre au fond.

TOUSSAINT

Général Laveaux. Je cherche sur vous les signes de l'au-delà. Mais votre visage est fermé pour mes yeux. Il y a une barrière entre vos morts et les miens. Je ne saurai donc jamais connaître d'un de vous s'il est mort dans ma vie, ou vivant dans ma mort ? Nous remontons le temps jusqu'à ce premier jour, quand nous voulions mélanger le maïs noir avec le maïs blanc. L'amitié avance de travers, quand elle doit franchir tant de siècles sur tant d'océans. Nous avions rêvé un rêve, Laveaux.

LAVEAUX

Ils furent trop pour nous trahir. Ils vendent la République, ils marchandent la liberté.

TOUSSAINT

Non, non, pas Dessalines, pas celui-ci. Dessalines ne trahit pas son peuple. Mais vous, qui sait si votre corps ne se confond pas déjà dans la terre ? Peut-être que Laveaux a souffert autant que Toussaint ? Et s'il doit assister à la fin de la République, Laveaux ne peut manquer de souffrir. Et peut-être que, mort, il a traversé le pays de là-bas, pour crier avec Toussaint l'agonie des libertés.

LAVEAUX

Et pour pleurer ces soixante mille hommes vainement sacrifiés pour la bagasse des tyrans.

TOUSSAINT

Vous comptez les vôtres, vous oubliez les miens. Il n'y va pas de votre faute. C'est usage et coutume, général. Et puis, mes morts sont trop nombreux, n'est-ce pas ?

LAVEAUX

Commandez au départ, tous nous vous suivrons.

TOUSSAINT

Mangez, mangez donc. Prévenez les fatigues de l'étape.

Il prend un morceau de pain mais il ne peut l'avaler, les miettes s'effritent sur sa bouche.

TOUSSAINT

Prenez des forces, Laveaux, pour ceux qui vont périr par l'œuvre de vos frères. Pour les Toussaint de demain, plus malheureux que celui-ci.

Il retombe dans le fauteuil. Laveaux sort.

DELGRÈS

Qu'il repose. Je demande qu'il repose. Que son nom soit murmuré. Que son nom sonne comme un tonnerre !

Dessalines est entré, un pistolet dans chaque main. Il tire en signal d'alarme.

III

DESSALINES

Aux armes ! Aux armes !

*Les soldats de Dessalines envahissent la scène.
Tam-tams de guerre.*

DESSALINES

Notre commandant est entre leurs mains, il est déjà mort,
il est passé parmi les ombres de la terre ! Savez-vous où se
trouve Toussaint-Louverture ? Nous ne le savons pas ! La
mer l'a englouti. Aux armes ! Le temps est venu de nettoyer
le pays ! Le moment est venu, à cette heure, ni avant ni
après, juste aujourd'hui, pour la bataille qui ne laissera pas
de restes ! Car nous voulons en finir une fois pour toutes les
autres !

*Les hommes de Dessalines dévalent sur la scène, ils
tombent de partout. Christophe et les autres généraux
noirs entourent le lieutenant de Toussaint.*

CHRISTOPHE

Rochambeau les commande. Ce ne sera pas la guerre, ce
sera l'extermination. Il porte la haine dans sa tête.

DESSALINES

Tant mieux ! Haine pour haine ! Contre Rochambeau, les
Mulâtres nous rejoindront. Ce général est tout en nuance, il
déteste le clair-obscur plus encore que la nuit noire.

*La clameur monte derrière l'horizon. La pluie et
l'orage grossissent de partout. Dessalines crie.*

DESSALINES

C'est la pluie ! Le moment est venu. Levez la tête vers le ciel. La pluie vous lave les yeux ; baignez-vous dans l'eau du ciel, appelez l'orage et l'inondation ! Les routes seront coupées, la fièvre s'abattra sur la terre, et les enfants de nos enfants fêteront la saison des tempêtes !... Rappelez-vous ! Ceux qui tombent vont en Afrique. Le commandant Toussaint est en Afrique, il prépare une armée pour la délivrance de nos frères ! Ceux qui tombent vont rencontrer Toussaint et combattre sous ses ordres.

CHRISTOPHE

Pourquoi ces balivernes ? La liberté suffit pour les animer !

DESSALINES

Tais-toi. Je commande, tu te bats. Mais c'est Toussaint qui nous dirige.

> *À droite, Rochambeau est entré avec son état-major. La canonnade et le tam-tam se disputent l'espace.*

ROCHAMBEAU

Plus aucun espoir. La fièvre jaune, Dessalines, le blocus anglais, c'en est trop pour nos hommes. Faites retraite sur le Cap. La ville est inexpugnable.

UN OFFICIER

Elle est infestée de ces rebelles.

ROCHAMBEAU

Fusillez, noyez. La terreur les tiendra tranquilles.

UN OFFICIER

Il s'en trouve qui ont adopté notre parti.

ROCHAMBEAU, *il le regarde fixement.*

Messieurs, je ne veux pas en voir un seul sur ma route. Prenez garde aux Mulâtres, je les connais. Ce sont les plus arrogants.

Ils font retraite. Dessalines avance au centre, comme suivi de son armée.

DESSALINES

Il y a un arbre sur nos têtes ! Ses feuilles plongent dans le ciel, elles dirigent nos balles jusqu'à leurs poitrines ; ses fleurs éclatent, notre sang les rougit ; son ombre étouffe l'ennemi plus sûrement qu'un garrot ! C'est le flamboyant ! Avançons sur le Cap, ils croient que nous ne prendrons pas la ville ; montrez-leur ce que peuvent des soldats, quand ils se battent pour la liberté !

Il avance, sur une hauteur. Il regarde dans la direction où sont partis Rochambeau et ses officiers.

CHRISTOPHE

Jamais nous ne prendrons Verdières, et sans Verdières, le Cap nous résistera.

DESSALINES

Christophe, tu ne connais pas mes hommes. Faites venir le général Capoix !

CHRISTOPHE, *il est inquiet.*

Attendons. Attendons. L'Angleterre porte la guerre contre Bonaparte. Sa flotte bloque le port. Regarde, ils ne peuvent ravitailler. Ils mourront de faim.

DESSALINES

Je ne suis pas l'allié de l'Angleterre ! Je ne peux pas attendre. Christophe, j'ai attendu toute ma vie.

141

Le général Capoix entre. C'est comme un second
Dessalines.

DESSALINES

Capoix, tu connais le fort de Verdières, il est imprenable ;
il me le faut pour ce soir. Rochambeau est fatigué de tuer. Il
mange les chevaux de ses dragons. Il mange les chiens qui
nous dévoraient. Il mange les rats qui se nourrissent de
cadavres sur le sable. Ce soir, nous déciderons du sort de
Saint-Domingue. Christophe, prépare les conditions, nous
touchons le prix du sang.

> *Capoix sort. Un officier mulâtre avance.*

UN OFFICIER

Dessalines, les Mulâtres ont combattu avec vaillance.
Aujourd'hui nous te reconnaissons chef suprême de
l'armée.

DESSALINES

Qu'importe celui qui commande. Nous voilà réunis à
jamais.

UN OFFICIER

Général, nous sommes à vos ordres.

> *Dessalines se détourne. Christophe le suit. La fusil-*
> *lade est intense, le canon tonne.*

DESSALINES

Regarde, à ton tour. Regarde Capoix. La fureur qui est en
lui ne connaît pas de limites. On dit que je suis brave, mais
Capoix, c'est la bravoure.

CHRISTOPHE

Arrêtons-le. C'est le troisième cheval qui est tué sous lui.

DESSALINES, *il ordonne à regret.*

Dites à Capoix d'arrêter l'assaut. Nous reprendrons demain.

IV

Le bruit du combat décroît. Sonnerie de trompettes. Un officier entre au fond et se dirige vers Dessalines.

UN OFFICIER

Le capitaine général Rochambeau et l'armée française envoient l'expression de leur admiration au général qui vient de se couvrir de gloire devant le fort de Verdières.

DESSALINES, *il se détourne, brutal.*

Le ton change ! Nous ne sommes plus seulement de bons bouchons pour les fourmilières. Les compliments rendront-ils la vie aux milliers de prisonniers que vous avez massacrés ?

UN OFFICIER, *il salue avec élégance.*

Pour ma part, monsieur, je déplore la mort de tant de braves, aujourd'hui opposés, qui hier rendaient de si grands services à la patrie.

CHRISTOPHE

Monsieur, présentez nos compliments à la vaillante armée qui s'est enfermée dans le Cap.

Christophe et l'officier se saluent. Celui-ci sort.

DESSALINES

Des mots. Des mots ! Ma patrie est à Saint-Domingue, nulle part ailleurs ! Je reprends ma dignité primitive. Nous serons indépendants !

La lumière quitte la bataille. Granville et les colons entrent. Leur mise est misérable.

PASCAL

C'est dit, vous étiez dans le juste. Combien de fois faudra-t-il vous le consentir ?

GRANVILLE

Confiez-vous à Dessalines.

PASCAL

C'est votre devoir. Protégez les hommes de votre race. Ou pousserez-vous jusqu'à vous établir renégat ?

GRANVILLE

Plutôt, tournez vers Rochambeau. Massacrez à outrance, ne ménagez plus la poudre.

DÉSORTILS

Rochambeau est fini. Ses vingt mille hommes de renfort ont fondu au feu de Dessalines. Il lui reste trois mille combattants vifs et le Cap va capituler. Restons, Granville, nous les manœuvrerons, j'ai confiance en vous.

GRANVILLE

Allons, votre temps est précieux, il marche au pas de Dessalines. Courez au refuge, si vous eûtes l'humilité d'en ménager un.

DÉSORTILS

Bien entendu, vous ne courez pas un seul risque.

Je pensais, Désortils. Débattez sur qui vous terrasse ici. Clairveaux ? Christophe ? Non, non. Dessalines ? Remontez plus avant. Le vieux singe. C'est le vieux roublard. Il gagne, Désortils, il gagne. Je ne l'eusse jamais gagé. Et vous non plus, bien vrai, et vous non plus.

Ils sortent. La lumière revient sur Dessalines.

V

Sonneries de trompettes. Un général entre : c'est l'ancien aide de camp de Toussaint.

AIDE DE CAMP

Le général Rochambeau remet la ville entre vos mains. Il demande huit jours pour l'évacuation des blessés.

DESSALINES

Vingt-quatre heures, pas une de plus, général.

AIDE DE CAMP

La flotte anglaise croise au large. Nous quitterions Saint-Domingue pour pourrir sur les pontons de Londres.

DESSALINES

Je ne connais pas Londres, monsieur. Avez-vous visité cette ville ? Entendez-vous avec les Anglais.

AIDE DE CAMP

Épargnerez-vous les blessés, les malades ?

DESSALINES

Les hommes du régiment polonais. Ils refusèrent partout de massacrer leurs prisonniers. Dessalines se rappelle. Pour les autres, ils sont à merci. Demain, j'entre dans la ville.

AIDE DE CAMP

Je rapporterai vos conditions, général Dessalines.

DESSALINES

Inutile de revenir, Rochambeau n'a pas le choix. Dites-lui de partir, les pontons anglais valent mieux pour lui que de tomber entre mes mains.

> *L'aide de camp sort. Dessalines déploie le drapeau de Haïti. Il crie.*

DESSALINES

La liberté ou la mort ! C'est en l'honneur du général Toussaint, et pour la délivrance des hommes !

Acclamations sur tout le front des troupes. Danseurs et chanteurs. Puis tout se calme. Le pays est vide.

VI

DELGRÈS

Les corps tombent, les bûchers dévorent l'espace, les têtes roulent dans le suif. Je vois le sang sur le drapeau de la victoire, tout s'engouffre dans la poudrière, voici que le trou est bouché. Voici Rochambeau, il vient de Martinique et de Guadeloupe, il apporte un peu de la terre où je suis tombé. Et voici maintenant qu'il rame sur la mer, avec son seul bras valide.

MACKANDAL

Trop de fumée crève nos yeux, ô Toussaint! Trop d'enfants morts crient dans nos gorges. Ah! je te le dis, les généraux commandent, et le peuple obéit.

DELGRÈS

Et vois, je pars durant ton sommeil, comme l'ombre d'une ombre.

Dans ton sommeil, Toussaint général, ou dans ton agonie.

Tu ramasses ta terre, et tu l'as labourée.

Tu peux dormir parmi les étoiles, tu peux dormir.

Et dormir dans la neige séchée, tu peux dormir.

Nul ne revient sur le chemin de sa vie

Quand la barrière est tombée.

Vois, je pars durant ton sommeil, puisque le trou est bouché.

Il sort au fond. Dessalines entre, suivi de soldats. Il fait redresser la table au milieu de la scène. Il la recouvre d'un drapeau. Il y dépose des armes. Granville entre. Dessalines l'attend. Ils se dirigent l'un vers l'autre, tels des duellistes.

VII

GRANVILLE

Eh bien, général, refermez votre chemise.

DESSALINES

Monsieur Granville, je serai heureux de vous compter parmi nous.

GRANVILLE

Bien entendu. Je boirai en votre compagnie la coupe de sang, je me repaîtrai du cri des victimes, nous hurlerons des vivats sur les ossuaires et les charniers.

DESSALINES

Granville, ne me poussez pas. La chaleur du combat me fait encore trembler la main.

GRANVILLE

Monsieur Dessalines est irritable. Il ne peut voir un innocent au détour du chemin, qu'aussitôt il ne lui raccourcisse le col.

DESSALINES

Vous ne m'aimez guère. Je ne vous supporte en rien. La raison est-elle bonne, pour nous opposer maintenant ?

GRANVILLE

Général Dessalines, j'aurais trop grande crainte du coutelas entre les épaules. Disons-le, vous maniez hardiment la traîtrise et le parjure.

DESSALINES

Tout autre que vous, Granville, serait mort au milieu de la phrase. *(Il prend un fusil sur la table près de lui.)* Regardez ce fusil. J'ai tué, pour le compte de vos amis, l'homme qui le portait. Et cet homme le portait pour le compte de sa liberté. Avec ce fusil, j'ai libéré Saint-Domingue. Trahissant cet homme, un marron, mon frère, le traquant et le tuant, pour lui prendre un fusil que je ne remettais pas à mes maîtres. Équipant une armée avec le sang d'une armée. Mais celui qui tenait ceci ne savait que se battre. Avec son arme, j'ai vaincu. Pour quoi, Granville, pour quoi ?

GRANVILLE

Pour la même stérile raison qui vous laissa condamner Moyse et qui vous fit assassiner Bélair. N'appelons-nous pas cela : orgueil et jalousie ?

DESSALINES

Granville, Granville, comme vous êtes loin.

GRANVILLE

Pour la même stérile raison qui vous fit abandonner Toussaint ; la jalousie et l'orgueil !

DESSALINES

Toussaint domine parmi nous ! N'y a-t-il pas plus de gloire à créer un peuple qu'il ne s'en trouve parmi les splendeurs de vos princes ? Pourtant j'ai trahi Toussaint, je le dis à votre place, puisque vous n'osez pas le dire.

GRANVILLE

Vous avez trahi Toussaint-Louverture.

DESSALINES

Il n'est plus présent pour s'opposer entre Granville et Dessalines.

GRANVILLE

Entre Granville et Dessalines, il n'y a rien. Entre Dessalines et la vérité, il y a l'ambition de Dessalines.

DESSALINES

Je me trouvais dans le dernier fond de l'enfer, un jour j'entendis sa voix, il disait : « Vous êtes les soldats de notre liberté, levez-vous et venez, le pays veut votre sacrifice. » Granville, je suis monté à la vie quand Toussaint l'a voulu, quand il a dit : « Voici ! » Voici. Un mot que nous répétons partout. Voici le pays, voici le peuple, voici le passé, voici l'avenir. Si Toussaint avait crié : « Dessalines, il faut mourir », Dessalines serait mort. Pourtant, un jour, je vois qu'il faut le trahir et le laisser arrêter oui et le laisser emporter sur l'océan pour le dernier voyage. Que m'importe, de ce moment, la mort de Bélair ou de Moyse ? Moyse était fou, Bélair imprudent, Bélair aimait, moi je ne fais que haïr, je sais qu'il faut un homme pour haïr quand il n'y a plus rien à tenter. Pouvais-je m'allier à Bélair ?

GRANVILLE

Et du moins alliez-vous aujourd'hui la philosophie à l'éloquence.

DESSALINES

Je suis un sauvage. Vous le pensez, n'est-ce pas, monsieur Granville ? Mais y a-t-il une seule bonne raison civilisée pour vous permettre de dire que dans cette guerre la faute est à nous autres ? Écoutez, je vous ferai sortir du pays. Je vous le dis, nous voulons en finir une fois pour toutes.

GRANVILLE

Inutile, Dessalines ! J'aurais donc la faiblesse de profiter de vos bontés ?

DESSALINES

Ne sois pas insensé !

GRANVILLE

Adieu. Tu ne viendras pas. Tu enverras tes sbires.

DESSALINES, *il frappe sur la table.*

Je ne comprendrai jamais cet homme !

À la fin vous couchez dans votre maison, général. Mais parmi toutes vos conquêtes, voici un trésor que vous ne me ravirez pas, c'est la fatigue de celui qui n'a plus de maison. Je vais, je passe, les murs s'écroulent, je suis libre. Marchez. Marchez, vous autres ! Vous ne connaîtrez pas de sitôt cette fatigue. C'est mon privilège.

DESSALINES

Vous aimez le risque, vous choisissez bien, monsieur le Secrétaire. Écrivez donc cette dernière dépêche. Un sac vide ne reste pas debout. Adieu.

Il sort. Granville le suit lentement. Madame Toussaint entre en avant. Maman Dio lui apparaît soudain.

VIII

MADAME TOUSSAINT

Maman Dio ! Il est arrivé un malheur à Toussaint ! Va-t'en ! Je brûlerai trois bougies pour ton repos éternel. Ah ! ne viens pas troubler une femme dans l'affliction !

MAMAN DIO

Ne crains rien. Je ne viens pas te tourmenter. Tu as donc peur des morts ?

MADAME TOUSSAINT

Il est arrivé malheur à Toussaint.

MAMAN DIO

La veillée est finie, repose-toi, ma fille. Maman Dio revient pour te soutenir. C'est là tout mon pouvoir. Oh ! maintenant ma force est cassée.

MADAME TOUSSAINT

Tu es là, c'est parce que Toussaint est mort. Il t'envoie pour l'annoncer.

MAMAN DIO

Repose-toi, ma fille. Le jour se lève sur sa tête. Il respire, j'entends qu'il respire.

MADAME TOUSSAINT

Il respire. Mais je vois dans mon cœur qu'il agonise. Derrière toi, on entend son râle.

MAMAN DIO

Ce que tu entends, c'est ma force qui s'en va. Ils n'attendent plus mon secours. Ils n'ont plus à mourir, mais à labourer. Tu entends ma nuit qui s'en va.

MADAME TOUSSAINT

Esprit des Morts, protège-moi, je suis sous ta domination.

Madame Toussaint est debout immobile. Maman Dio sort. Dans la cellule, la lampe s'éteint doucement. Toussaint remue et s'agite, tandis que la lumière point à travers la lucarne.

IX

TOUSSAINT, *tourné vers Mackandal solitaire.*

C'est toi, Mackandal ? Où sommes-nous ? Tu es seul ?

MACKANDAL

Il n'y a plus que moi pour te retenir parmi les vivants. Nous t'appelons, Toussaint.

TOUSSAINT, *il cherche Delgrès du regard.*

Pourquoi, commandant Delgrès, pourquoi ? Je ne crains pas la muraille qu'il faudra traverser, elle ne cessa jamais de grandir dans chaque jour que j'ai vécu. *(À Mackandal :)* Laisse-moi reposer, attends, le chemin sera raide. Patiente, que je m'habitue à cette démission éternelle.

Manuel et Langles entrent dans la cellule.

LANGLES

Manuel, c'est la fin, il ne bouge plus.

MANUEL

Il vous écoute, monsieur.

LANGLES

L'espace d'un hiver ! Ne l'avais-je pas prédit ? Car nous sommes au matin du sept avril, selon l'ancien calendrier. Ah ! le printemps tarde à percer ! Piètre tacticien, ce printemps. Il rame sans fin dans la neige, sans trouver l'ouverture. L'ouverture est là... Mais à cette heure, c'est Toussaint-le-Fermeture.

MANUEL

Mon Dieu ! Mon Dieu !

LANGLES

Et mon ordre de mission qui ne vient pas. Tu seras donc engagé loin dans les terres de Pluton, que je tournerai encore dans ce fort damné, sans espérance d'en sortir ! Qui est à plaindre ici ? Et pour ajouter, voici que le courrier de Saint-Domingue appelle au secours. Incroyable. La rumeur s'est répandue, au milieu de la stupeur générale. Madame Pauline revient, Leclerc est mort de la fièvre jaune. Incroyable, incroyable. Avec une seule compagnie, j'eusse rétabli l'ordre. Rochambeau supplie qu'on lui envoie vingt

153

mille grenadiers. C'est à conclure que nos officiers perdent la tête sous le climat des Tropiques !... Eh bien, Monsieur est le Centaure des Îles ! Monsieur inventait la stratégie ! Monsieur fondait un empire ! Mais nous faisons et nous défaisons la trame de la renommée ! Nous crierons : « Toussaint ? Un vague chef de bande, illettré, sans grandeur. Il imitait ses maîtres. » Et tiens, nous irons jusqu'à t'appeler, par exemple, le Consul noir. Oui, un pantin de carnaval. « Il a tué quelques Blancs, c'était un sauvage, un peu cannibale, nous le ramenâmes à la raison. Simple, simple : nous fûmes pour l'arrêter, puis ce fut la prison. Il y mourut... » Parce que nous décidons de ce que l'homme connaît et de ce qu'il ignore. Nous imprimons les livres, sans lesquels la mémoire est un gouffre sans fond, un puits sans margelle. Nous effacerons de la terre la trace de tes combats.

MANUEL

Nul ne peut effacer la mémoire d'un homme victorieux...

LANGLES

Silence, l'Italien !... Moi, dans cette ignominie, enfoncé parmi les médiocres et les singes ! Caffarelli est reparti vers Paris, je l'approuve. Il négligea de m'emmener avec lui. Ainsi Boulogne s'évanouit, la neige du Jura recouvre Boulogne, l'Angleterre est un tas de neige dans lequel chaque matin j'enfonce le fourreau de mon sabre. Mais ce n'est que pour estimer la tombée durant la nuit... À propos, je lui dois prendre son rasoir. Ordre du commandant, ainsi que vous diriez, mon cher. Il semble qu'on redoute un suicide.

Manuel se précipite et prend le rasoir dans le bagage de Toussaint.

154

LANGLES

Plus impressionnant qu'un sabre, plus efficace qu'un pistolet. Un seul tranchant pour deux emplois.

TOUSSAINT, *déjà dans l'agonie.*

Il faut que vous me jugiez bien mal, puisque vous me soupçonnez de manquer du courage nécessaire pour supporter mon malheur.

LANGLES

Entendez-le ! Ne fût-ce que pour cette parole, par tous les dieux, je serais satisfait ! J'aurai donc ouï pour mon seul compte le son de la voix divine. Mais pas d'illusion, mon centaure ! Si tes sauvages sont pour vaincre, je ne sais par quel démoniaque pouvoir, les armées du général Bonaparte ; si les dépêches prédisent que notre Consul éprouve là, par je ne sais quelle dérision, la seule de ses défaites, écoute, tes compagnons t'ont décrié, tu es voué à vomir dans ton infortune, et moi dans ma misère. Ainsi sommes-nous idoines.

MANUEL

Je ne veux pas entendre ça !

Il sort. Langles rit.

LANGLES

Mais, pour finir, les hommes t'effaceront comme ils effaceront Langles. Ils écriront : l'expédition VICTORIEUSE de Saint-Domingue. Ils le publieront dans leurs ouvrages, ils l'inscriront dans leurs encyclopédies. Oui, nos descendants y veilleront, jusqu'à la troisième génération et au-delà. Ils tiennent pouvoir de décider sur le juste et le faux ! Ils t'enfermeront dans un fort plus terrible que Joux, dans une montagne plus abrupte que le Jura : c'est le silence public. Maudis, supplie, implore, les siècles se referment sur toi !

Ainsi tu mourras mille et une fois. Et avant que le bruit de vos armes traverse l'épaisseur de cette absence, eh bien tu seras devenu un vague reflet sur un peu de givre, un pâle rayon tombé dans un informe tombeau, un peu de suint sur la muraille d'un lieu sans nom. Nous sommes forts à ce jeu. Ils t'oublieront, tous. Ou alors, tu devras changer le nombril du monde ! Ils oublieront le capitaine Langles. Je n'y peux rien, c'est ainsi. *(Il s'arrête sur le seuil de la cellule.)* Et ils crieront à tes fils : « Toussaint, le vaincu de Saint-Domingue !... » Et à la fin ils le croiront eux-mêmes, ce sera le plus beau.

Il sort. Brutal roulement de tam-tam, qui reprend en mélopée.

X

TOUSSAINT, *doucement.*

Viens, Mackandal. Je n'attends plus que ta mort, pour mourir.

MACKANDAL, *il avance.*

Ma destinée servira-t-elle, agonisant ?

TOUSSAINT

Maman Dio, Macaïa, et le commandant Delgrès, qui au Matouba s'est de lui-même porté dans l'argile immortelle. Ils bâtissaient le chemin, ils m'accablaient de leur agonie et de leur souffrance, afin de m'attirer sûrement. Non, je ne prendrai pas ta mort, ô prophète ! Je n'étais pas né quand tu souffris le supplice suprême ; nous ne fréquentions pas les mêmes rayonnements du temps. Il y eut Mackandal pour annoncer le combat et la douleur du combat, puis il y eut Toussaint pour prendre la victoire et la douleur de la victoire.

Ne sommes-nous pas comme deux journées qui se suivent avec logique, sans que jamais tout autour de la terre elles se rencontrent ? Et c'est un seul soleil. Mackandal, mais il ne donne pas la même chaleur. À quoi bon ta mort ? Toi du moins, tu regardes dans mon œil, tu pèses la justice de mes actes.

MACKANDAL

Non, tu n'étais pas né, quand ils me firent monter sur ce bûcher, au bout de la place. Je voyais les esclaves, rangés tout du long. Ils riaient, ils riaient, je leur avais prédit que Mackandal ne pouvait pas mourir. Ils riaient, mon général, et, voyez-vous, je riais aussi. Il le fallait bien, puisque mes frères croyaient que je deviendrais dans le feu une mouche ou un lézard ou un taureau qui vole. Voilà, je montais sur les fagots ; le bourreau m'injuriait, ne pouvant pas comprendre. Il perdait son plaisir et la gloire d'exécuter. Mais il le fallait, ô mon père ! Je suis parti au milieu d'un tonnerre qui étouffa mes clameurs. Ce rire-là fut plus fort que les flammes, oui, mes yeux sanglants et dévastés, au moment de chavirer, ont vu à travers le mur de feu la face réjouie de la terre ; mes oreilles entendirent, par-dessus le crépitement du bois, les bravos et les acclamations ! Il me semble qu'il n'y a pas la longueur d'une seule nuit entre le feu de ce bûcher et la glace de ta cellule. C'est la journée qui avance, depuis ce midi où les cloches ne sonnèrent pas. On ne sonne pas pour un esclave... Et vous n'étiez pas né, mais debout je vous voyais, aussi présent que l'officier juré qui commanda les tambours ! Les flammes vous entourent, venez sur mon tréteau, voici votre armée, c'est le peuple, voyez Haïti au nom très ancien, qui par-dessus la mort a renoué la liane du destin.

TOUSSAINT, *il tousse encore.*

Maintenant, criez pour la vie ! Moi je ne réponds qu'à l'humanité vivante ! Avec le dernier chant du dernier mort, qui était aussi le premier... Comme il fait froid, mon frère.

C'est fini. La lune est grosse ce soir ; dans la lune notre armée est montée tout entière.

TOUSSAINT

Je sens cette force qui me tire vers la porte invisible, et comme un feu à travers mes jambes raidies. Voici qu'il faut que je marche dans les savanes de neige, où ma couche là-bas est prête.

Mackandal vient derrière le fauteuil de Toussaint.

MACKANDAL

Nous halons les mers, d'Amérique en Afrique ! Nous te portons avec nous.

Marchez, mon père, marchez avec l'Afrique ! Pour Saint-Domingue, le travail y recommence.

Ne traverse pas la mer vers le Couchant. Ah ! Dessalines a taillé la première récolte !

Criez le nom Toussaint, le nom ! Sur la forêt et sur les mornes, ô Legba !

TOUSSAINT

Ce sont des feuillages, Mackandal. Ce sont des feuillages. La verdure du pays, écoute, le chant de la richesse. Ô Dessalines, ô toi l'acacia. Regarde, les cannes montent, les légumes profitent. J'ai fait piquer trois mille plants de fruit-à-pain ! Oh ! Je mets les trois feuilles de balambala. Une en long, deux en travers ! J'accroche ici trois coqs sans tête ! Le manioc marche par rangs comme une armée sans fin, c'est la liberté générale, labourez les hauteurs, mes enfants, mes enfants, je brûle ! À moi ! À moi !...

MANUEL, *il entre en courant, il crie.*

Arrière ! Que lui faites-vous encore ? Sorciers, loups-garous, baleines, baleines ! Laissez-le tranquille ! Est-ce que le froid ne lui suffit pas ! Ses gencives sont bleues dans sa bouche sans couleur. Je vais chercher le commandant... Mon commandant !

Il sort.

TOUSSAINT

Qui était-ce, Mackandal ?... Il fait chaud. Je brûle... La neige du bûcher, toute la chaleur qui dort au fond de leur hiver ! Me voici, mes compagnons. Arrêtez, soutenez l'assaut de Toussaint, si vous l'osez ! Je viens, Macaïa, par-dessus l'océan une fois encore, commandant Delgrès, j'allume le bouchon de poudre, l'honneur me revient, oui, la récolte saute dans le ciel, les ignames, le tabac, oho Maman Dio, cette richesse va dans la mer, elle est pour tous, pour tous ! Mon nom est Toussaint-Louverture. Ne prenons pas de repos que nous n'ayons vaincu nos ennemis ! Man lé la libèté pou Sin-Doming ! Ogoun, Ogoun !

Il est presque debout, accoudé au bras du fauteuil.

MACKANDAL, *derrière lui.*

Ô Puissances, il a descendu le morne. Prenez-le dans votre mémoire sans fond ! Et son nom montera jusqu'aux étoiles.

Amyot, Langles, Manuel entrent dans la cellule.

AMYOT

Il n'y a personne ici. Que racontiez-vous ? Encore une de vos lubies. Toussaint, désirez-vous quelque secours ? Dans la mesure de mes possibilités... Toussaint... Toussaint.

Il se penche vers Toussaint qui au contact glisse dans le fauteuil. Il se redresse.

AMYOT

Capitaine Langles. Vous établirez le procès-verbal qui suit : « L'an XI de la République, le dix-septième jour de

159

Germinal, onze heures et demie du matin, a été trouvé sans vie dans son fauteuil Toussaint-Louverture, officier de la Révolution et de la République, général en chef des armées de Saint-Domingue, gouverneur de cette île, détenu au fort de Joux depuis huit mois. »

Battement de tam-tam.

Amyot sort, suivi de Langles. L'ombre de la sentinelle descend des remparts. Madame Toussaint s'assied à même le sol, les bras entre les jambes, elle se balance lentement ; et on entend au loin une mélopée haïtienne. Manuel remonte vers Toussaint mort et Mackandal immobile. Peut-être l'entend-on murmurer : « Monsieur Toussaint, Monsieur Toussaint. » La demi-lumière froide du Jura perce à nouveau à travers la lucarne.

*Composé et achevé d'imprimer
par la Société Nouvelle Firmin-Didot
à Mesnil-sur-l'Estrée, le 18 mai 1998.
Dépôt légal : mai 1998.
1ᵉʳ dépôt légal : février 1998.
Numéro d'imprimeur : 42993.*

ISBN 2-07-074621-6/Imprimé en France.